D0715008

Néolibéralisme
et crise de la dette

Bernard Teper
Michel Zerbato

Propos liminaires

Tous les mois, toutes les semaines, tous les jours, nous arrivent des informations sur l'approfondissement de la crise. A chaque fois, nos « élites » n'avaient rien prévu ou prévu tout autre chose et tentent de se justifier en développant une idée surplombante qui va tout régler. Et comme ils se refusent à analyser les causes de cette crise -soit parce qu'ils ont un fil à la patte, soit par ce qu'ils croient aux dogmes libéraux, soit qu'ils manquent de courage - leur idée surplombante qui devait tout régler ne règle rien.

Et l'approfondissement de la crise continue. Et sa visibilité se rapproche du centre. L'Islande, l'Irlande, la Grèce, les pays de l'Europe du Sud, les Etats-Unis, les banques françaises et européennes. Et demain ?

De plus en plus, les échecs successifs du système en place appellent à une prise de conscience pour changer les choses.

Mais l'acteur principal du changement ne peut-être que le peuple lui-même et non ses « élites ».

Il faut donc qu'il soit en état de comprendre la réalité matérielle, les enjeux, les alternatives possibles, pour qu'il puisse sortir du sentiment de fatalité, d'impuissance ou de soumission aux « élites ». Il faut donc développer, sur une intensité bien plus forte qu'aujourd'hui, sur tous les territoires, l'éducation populaire tournée vers l'action et si possible dans des assemblées citoyennes larges. Cet ouvrage souhaite apporter sa pierre à l'édifice. Ce n'est pas un livre-programme : laissons cela aux partis politiques et aux organisations syndicales ou associatives. Ce n'est pas un livre factuel sur la crise : laissons cela aux différents médias. Bien que s'appuyant sur une analyse sérieuse et approfondie de la triple crise - économique, financière, et de la dette - ce livre se veut être un outil au service des citoyens éclairés qui souhaitent se former pour pouvoir, le cas échéant, être membre du souverain et participer à la décision du peuple.

Cet ouvrage est donc une pierre pour construire. Il est constitué de deux parties :

- un Manifeste pour la République sociale, rédigé par Bernard Teper, qui prend son fondement dans la triple crise actuelle : crise économique systémique, crise financière, crise de la dette et dans l'idée que l'on ne peut pas lutter efficacement sur le plan politique si on ne conçoit pas clairement le modèle alternatif qui peut remplacer l'actuel système en bout de course aujourd'hui.

- une Economie politique de la crise, rédigée par Michel Zerbato, pour éclairer les citoyens qui veulent d'abord comprendre, mieux analyser, pour *in fine* agir pour une politique globale alternative.

Nous essayerons de nous situer dans la diachronie de l'histoire et de la pensée de l'économie politique. Nous essayerons de faire comprendre la centralité de la monnaie (trop souvent niée), et son importance pour ceux qui projettent un avenir en république sociale. Viendra ensuite l'analyse de l'impasse *in fine* de la république keynésienne, celle du détricotage des principes républicains par le néolibéralisme, celle de l'aveuglement du social-libéralisme gagné à l'ordo-libéralisme, lui-même né en Allemagne, et enfin une analyse des évènements récents depuis la chute de Lehman Brothers en 2008. Mais vous trouverez aussi dans ce livre, des propositions alternatives tant dans le temps court que dans le temps long.

D'autres livres dans la même collection suivront sur tous les thèmes nécessaires à la République sociale : santé et protection sociale, services publics, école, laïcité, immigration et nationalité, Union européenne, morceaux choisis des grands auteurs, rupture écologique, etc.

Manifeste
pour une république sociale

La crise ouverte à l'été 2007 entraînant, suite à la faillite de Lehman Brothers le 15 septembre 2008, le krach bancaire et financier de l'automne 2008, suscite bien des commentaires et des propositions de solution, de la part, tant des économistes que des partis politiques. Les programmes d'action dépendent directement des analyses et il y a beaucoup à dire sur ce que l'on peut lire ou entendre, car la compréhension de la situation de crise que nous connaissons est généralement indigente, chez les libéraux, certes, mais aussi chez les tenants d'approches plus ou moins hétérodoxes, dont la radicalité apparente n'est souvent que du vent.

Une crise financière...

Moins de trois ans après la faillite de Lehman Brothers, le deuxième trimestre 2011 est économiquement catastrophique et le mur de la dette devient très préoccupant. Le premier plan de sauvetage de la Grèce n'arrive pas à éviter la montée des rendements des prêts pour ce pays (contrairement aux prévisions néolibérales, les taux proposés sur dix ans pour la dette grecque, au lieu de baisser sont passés de 7% à 11% à l'automne 2010 à 16% au printemps 2011 d'où le deuxième plan de sauvetage grec). Ce deuxième plan porte déjà à plus de 200 milliards d'euros « l'aide » nécessaire. Rien n'y fait ! Dès le mois d'août, les taux à dix ans dépassent 17%. Pour une économie en récession de -6,9% du PIB, inutile de dire qu'il n'y a pas besoin d'être un grand intellectuel pour « douter » des capacités de remboursements dans ces conditions d'autant que ce taux est le taux à partir duquel se déterminent les échanges des titres grecs sur le marché secondaire (sorte de marché de l'occasion de la finance internationale). Et, il faut voir que le PIB de la Grèce ne compte que pour moins de 3% du PIB de la zone Euro.

Mais déjà des économies plus importantes comme le Portugal, l'Espagne et l'Italie sont dans la tourmente. Sitôt le Fonds européen de stabilité financière (FESF) annoncé avec un grand sens de la propagande, et avant qu'il soit constitué, la spéculation reprend de plus belle montrant bien l'incapacité du moteur Merkel-Sarkozy de résoudre l'équation. Dans la panique la plus totale, la Banque centrale européenne (BCE) a dû accepter de mettre les règles du traité de Lisbonne entre parenthèses et de soutenir les obligations espagnoles et italiennes sur le marché secondaire. Mais l'heure de vérité approche. Quand le Premier ministre français annonce en août 2011 la participation française à 21 milliards pour les plans grecs, pourquoi ne pas comparer avec le raisonnement néolibéral sur les retraites où pour 40 milliards à l'horizon 2020, les caisses étaient déclarées vides ! Le deux poids, deux mesures, va finir par se voir !

Par ailleurs, en plus de l'amplification des dettes souveraines, plusieurs bombes à retardement existent encore :
-les spéculateurs se sont protégés d'un défaut de paiement d'un Etat par les CDS (credit default swaps) qui est une sorte de réassurance contre le défaut de paiement. Mais comme la finance internationale n'est pas transparente, personne ne sait quel est le volume de CDS émis et combien chaque structure financière a émis de CDS. Il faut comprendre que ces CDS seraient appelés à prendre le relais d'un défaut de paiement d'un Etat. Un effet domino pourrait avoir lieu si un défaut partiel de paiement survenait sans que l'on puisse mesurer à l'avance l'étendue du désastre possible car personne ne sait exactement combien de CDS ont été émis pour chaque dette souveraine des Etats. Il est probable que de nombreuses structures financières ne pourraient faire face à cet effet domino.
 - si l'Allemagne et la France restent les plus gros contributeurs du FESF avec respectivement 27,1% et 20,3%, on peut se poser la question des contributions de l'Italie et de l'Espagne qui doivent concourir pour respectivement 17,9% et 11,9%. Qu'en sera-t-il s'ils ne peuvent résister à la spéculation sur leurs dettes souveraines ?
- malgré des transferts publics massifs, les Etats-Unis sont aussi en crise grave avec un recul inquiétant sur 2008 et 2009 de leur PIB et du revenu des ménages.
- 75% des transactions financières sont réalisés par des automates réalisant plusieurs aller-retour en quelques secondes alors que le deuxième plan grec n'est toujours pas voté par tous les pays de la zone euro plus de deux mois après la rencontre du 21 juillet 2011.

Il y a là une divergence dans les rythmes des acteurs, voulue par les « hauts dignitaires du oui » au traité devenu Traité de Lisbonne. Et comme l'ordo-libéralisme de droite comme de gauche a supprimé la démocratie en la remplaçant par la « bureaucratie éclairée » non élue au suffrage universel direct (voir la déclaration de Pierre Mendès-France ci-dessous du 18 janvier 1957 !), cette divergence de rythme sera un facteur puissant visant à l'implosion du système. La commission européenne a toujours un temps retard comme son projet de directive européenne instaurant une taxe sur les transactions financières incluant les produits dérivés mais excluant le marché des changes. Il a fallu attendre le 28 septembre 2011 pour que Barroso en parle ! Certes il exclut le marché des changes, mais inclut les marchés de produits dérivés. Le taux de 0,1% correspond à ce que nous demandons, même si le taux sur les produits dérivés ne serait que de 0,01% (mais portant sur la valeur notionnelle, ce qui est essentiel).

Dans la dernière période, la spéculation a eu lieu sur les banques qui ont dans leurs actifs de la dette grecque. Mais elles ont aussi dans leurs actifs de la dette des autres pays du Sud qui sont dans la tourmente. Pour la seule BNP, on annonce 5 milliards d'euros pour la dette grecque et 28,9 milliards pour les 5 pays les plus endettés de la zone Euro (dont 20,8 pour la seule Italie) sans compter les CDS dont on ne connaît pas les montants (voir ci-dessus). Mais les chiffres sont de même nature pour les autres banques. Il est à noter que croire aux résultats des « crash-tests » des banques dont on nous a dit qu'ils ont été « rassurants» revient à croire à la méthode Coué. Outre qu'il n'y a aucun contrôle citoyen ou public sur ces « crash-tests », on sait que cela a été basé sur le contrôle des capitaux propres et de la dette alors qu'un contrôle sérieux devrait faire un contrôle des liquidités sur l'ensemble du couple « recettes- dépenses » en faisant un contrôle analytique de toutes les valeurs une par une de chaque ligne du bilan et du compte de résultat ce qui impliquerait bien sûr de sortir de l'opacité bancaire.

Quant aux décisions du 27 octobre 2011 et du G20 de novembre 2011, non seulement elles ne résolvent rien mais elles accentuent la crise. On vous a dit que le plan devait "effacer" 50% de la dette grecque! Faux! Tout est faux! L'allègement est cosubstanciel à un nouveau prêt de 130 milliards d'euros.

Comme par hasard, l'allégement ne touche pas les remboursements de la "troïka" de la gouvernance mondiale (Union européenne, Fonds monétaire international et Banque centrale européenne)! La restructuration de la dette impose de supprimer 11,5 milliards d'euros sur la protection sociale (retraites notamment) et toute la politique sociale. Les nouveaux prêts ne relèveront pas du droit grec: la Grèce devient un enfant mineur et est donc humiliée! Cerise sur le gâteau, les maitres du monde demandent qu'un responsable étranger à la Grèce devienne un tuteur dans chaque ministère! Tout cela pour aller vers une dette représentant 120% du PIB à l'horizon 2020 soit le même niveau insoutenable qu'au début de la crise. On croit rêver! Voilà pourquoi les citoyens doivent s'éclairer ailleurs que dans les médias dominants.

...qui masque
une crise économique profonde

Contrairement à la propagande officielle, il n'y a pas seulement une crise financière mais bien aussi une crise économique systémique dérivée de la crise de profitabilité du capitalisme lui-même qui recourt alors à la sphère financière pour obtenir des rendements plus élevés (voir la partie *Economie politique de la crise* ci-après). Bien sûr les situations diffèrent d'un pays à l'autre et si l'Union européenne et sa zone euro sont durement touchées dans la dernière période, cela provient principalement des caractères divergents des économies nationales aussi bien dans les différentiels des systèmes de protection sociale et de protection écologique ou dans le degré d'industrialisation ou de désindustrialisation ou encore dans les rythmes économiques (différentiels des taux de profit, de la productivité en valeur, etc.) ou enfin dans la structure interne des prélèvements obligatoires.

Pour la France, le graphique suivant montre l'évolution de la part des profits dans la valeur ajoutée à savoir une montée rapide sur la période 1982-89, puis une relative stabilité. Mais c'est bien cette stabilité à un haut niveau qui empêche les financements nécessaires à la sphère de constitution des libertés (école, protection sociale, services publics) pour répondre aux besoins des citoyens et de leurs familles.

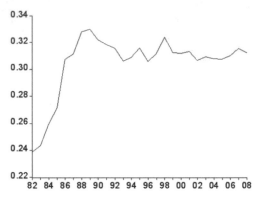

Source : Insee, Compte des sociétés non financières. Données en euros courants.

Suivant que l'on prend les chiffres de l'INSEE ou ceux de la Commission européenne, la déformation du partage de la valeur ajoutée au détriment des salaires oscille entre 170 et 186 milliards d'euros par an en euros 2010 (pour un PIB d'environ 2000 milliards d'euros). Il y a là de quoi relativiser le « trou de la sécu » qui est de l'ordre de 30 milliards d'euros en 2011 et dont la prévision dans le projet de loi de financement de la sécurité sociale (PLFSS 2012) est de moins de 20 milliards d'euros.

Pour la France, cette déformation du partage de la valeur ajoutée cache en plus depuis le début de ce siècle une baisse de la productivité du capital en valeur (valeur ajoutée brute rapportée au stock de capital fixe). Tandis que pour l'Allemagne, qui de ce point de vue diverge économiquement de la France, la hausse du taux de profit (Excédent brut d'exploitation rapporté au stock de capital fixe) depuis le début du siècle est principalement due à sa zone de sous-traitance industrielle dans les PECO et à la baisse relative des salaires dans la période.

Reprenons la diachronie néolibérale. La fin des années 60 est pour les capitalistes une crise de la rentabilité du capital. Ils utilisent l'inflation pour résoudre

---

1 - L'élargissement de l'UE aux PECO a fourni à l'Allemagne un hinterland à bas salaires, espace de délocalisations plus faciles et qui lui a permis de réduire très sensiblement ses coûts salariaux, notamment dans l'agriculture.

cette crise. Mais la poursuite d'un partage de la valeur ajoutée favorable aux salariés dans les années 70 et l'inflation galopante entraînent les capitalistes à engager les politiques néolibérales. Au tournant des années 80, ils réorientent à la hausse le taux de profit et diminuent fortement l'inflation, au moyen, notamment, du transfert indiqué dans le partage de la valeur ajoutée en faveur des profits et d'un effet levier organisé par la spéculation financière. Partout, ce sont les salariés et les salariés seuls qui payent « au prix fort » cette modification du partage des richesses (voir la partie Economie politique de crise ci-après). Mais ce transfert n'enclenche pas une dynamique de création nette de richesse, et le néo-libéralisme atteint ses limites, la probabilité de l'implosion du système augmente et sa fin se profile. On peut donc penser que la parole va revenir aux salariés et aux citoyens. Ce sont eux qui représentent l'avenir du monde aujourd'hui.

Comment en est-on arrivé là ?

L'histoire du capitalisme a constamment balancé entre des périodes d'avancée républicaine, quand le développement économique et les luttes sociales permettent de satisfaire les revendications sociales, et des périodes de régression, quand une « grande crise » oblige à revenir sur les acquis sociaux. Ce fut vrai au 19ème s. comme au 20ème, cela le sera encore au 21ème. Il faut donc maintenant penser ce que pourrait être un nouveau pas en avant vers la République. Mais pour cela, il faut comprendre la diachronie historique du capitalisme. C'est bien parce la période des trente glorieuses s'est brisée sur le mur de l'inflation devenue ingérable que les dirigeants du monde ont été gagnés par les idées de la mondialisation néolibérale et financière puis du Consensus de Washington.

Avec l'écroulement du communisme soviétique, ce turbocapitalisme a pu juguler sans opposition l'inflation, dans une lutte des classes impitoyable qui a fait dire au capitaliste Warren Buffet que la lutte des classes existait bel et bien et que c'était sa classe qui était en train de la gagner. Avec l'appui des communautaristes et intégristes ethniques et religieux de tous bords, ils ont engagé des politiques antisociales supprimant petit à petit tous les acquis sociaux, les services publics, la protection sociale solidaire là où ils existaient. Ils ont supprimé le lien entre les droits acquis et à acquérir des citoyens et de leurs familles et la sphère publique de constitution des libertés (école, protection sociale solidaire, services publics). Pire, ils ont soumis cette sphère aux intérêts des dirigeants du capitalisme.

Mais tout cela n'est que le moyen que les dirigeants du monde ont trouvé pour combattre la crise économique elle-même, la grande crise dont peu de personnes parlent. Quand « le sage montre la lune, l'ignorant regarde le doigt » dit l'adage chinois. C'est bien la grande crise économique du capitalisme qu'il faut regarder et non sa conséquence qui en est la crise financière. Patrick Artus, économiste libéral l'a admis en titrant une de ces notes d'Ixis-Caisse des dépôts et consignations au début de ce siècle « Karl Marx is back ». C'est bien parce que les dirigeants du monde n'arrivaient plus à combattre la baisse tendancielle du taux de profit que la financiarisation s'est développée afin d'offrir des rendements supérieurs au taux de profit réel découlant de l'économie réelle. Bien évidemment, ce sont d'abord les couches populaires (ouvriers, employés, représentant en France 53% de la population) puis une partie des couches moyennes, dont principalement celles que l'INSEE appelle les couches moyennes intermédiaires (24% de la population), qui trinquent. Il faut bien que quelqu'un paye le différentiel des taux entre l'économie réelle et la finance.

Que faire ?

Pour les libéraux néoclassiques, la crise est financière et c'est un accident dû uniquement à la cupidité des individus. D'où la critique des méchants banquiers, assureurs et spéculateurs qui mettent en danger le monde entier. Il suffirait presque d'avoir des banquiers et assureurs vertueux pour que cela puisse fonctionner encore. Pour les libéraux (post)-keynésiens, cet accident est plutôt dû à un défaut de régulation du système monétaire et financier. Tous peuvent donc se rejoindre pour s'en tenir à « réguler le capitalisme », « réguler la finance », « taxer la finance », etc.

Les marxo-keynéso -régulationnistes sont plus radicaux et mettent en avant le problème du partage de la valeur ajoutée et donc à un conflit de répartition, mais limitent l'explication à un problème de rapports de forces, notamment idéologique.

Politiquement, sociaux-chrétiens (ordo-libéraux de droite), sociaux-libéraux (ordo-libéraux de gauche, qui rajoutent une pincée d'équité) et sociaux-démocrates à l'ancienne (keynésiens et postkeynésiens) peuvent s'accorder pour ne rien changer. Et, de même, beaucoup de discours pseudos –radicaux s'arrêtent de même à la dénonciation de la crise financière.

Mais pour s'en sortir, il ne suffit pas, en réalité, de « réguler » ce système en crise profonde. Il ne suffit pas d'invoquer une quelconque surplombance d'une idée qui réglerait tout, il faut aller vers une politique globalisante de changement systémique. On ne peut pas conserver les structures et les règles existantes (mondialisation, union européenne, zone euro, libre-échange, etc.) et se contenter d'espérer que la mobilisation sociale par le bas suffira à « obliger les élites à changer de politique ».

Il ne suffit pas plus de décréter de façon idéaliste une sortie unilatérale « à froid » de l'Euro et ou de l'Union européenne, cette politique de retour en arrière du type « sortie de crise nationaliste dans un seul pays » n'a plus de sens aujourd'hui. L'avenir est à la construction d'espaces larges mais démocratiquement constitués et non imposés par un processus non démocratique comme celui de l'Union européenne. (voir la partie *Economie politique de la crise* ci-après)

Quant au dernier débat à la mode, surréaliste, « altermondialisation ou démondialisation », disons-le tout net, pour altermondialiser, il faudra bien passer par une phase préalable de démondialisation pour redéfinir les fondamentaux politiques du temps long : nouvelles alliances solidaires dans un espace large, monnaie unique uniquement avec des économies et des politiques au départ convergentes, monnaie commune avec les autres avec un dispositif de mise en convergence dans le temps, néoprotectionnisme universaliste écologique et social[2] entre les espaces économiquement, socialement et écologiquement divergents, etc.

2008 est l'éclatement d'une nouvelle « grande crise », avec la même dynamique que celle des années 30, à cela près que les leçons monétaires et budgétaires de l'après 1929 ont écarté tout dogmatisme anti-État. La substitution des Etats aux débiteurs privés insolvable fait exploser la dette publique et

---

2 - Le néoprotectionnisme universaliste, social et écologique revient à taxer les produits à l'importation non en fonction des prix mais en fonction du différentiel de protection sociale et écologique entre le pays importateur et le pays exportateur. Le produit de cette taxe devant être versé au système de protection sociale et écologique du pays exportateur jusqu'au moment de la convergence.

nous allons vers une probable implosion de l'euro, semblable à celle du bloc-or des années 30 (voir la partie Economie politique de crise ci-après). La question politique n'est donc pas d'en sortir par volontarisme mais de savoir que faire à chaque phase du déclin de la zone euro y compris lorsqu'il aura complètement implosé. C'est l'euro lui-même qui est condamné et vu le rapport des forces actuel, inutile de construire des idéalismes brillants. Une phrase de Marx est à ce titre lumineuse : « la société moderne ne peut, ni dépasser d'un saut, ni abolir par décrets, les phases de son développement naturel ». Pour dire cela plus bref, il faut un ensemble de propositions de temps court pour agir vite « dans le système » et faire des ruptures partielles construites. Mais cela ne suffira pas. Il faut enclencher en même temps des actions et des propositions de temps long qui ne s'arrêtent pas à la prochaine élection fusse-t-elle la plus importante de nos institutions! Rien que cela est une révolution dans les mentalités d'un militant actuel habitué à ne travailler que pour la seule prochaine échéance selon l'adage anglais « step by step » (« marche après marche »). Et, bien non ! Il faut faire les deux en même temps. C'est cela qui doit être nouveau, c'est cela la nouvelle culture politique.

L'erreur européiste

La gauche de gouvernement (la social-démocratie moderne et ses alliés) a cru pouvoir se servir de l'euro pour contrer le néo-libéralisme et contourner la contrainte mondiale de compétitivité. Ce faisant, elle n'a fait que s'arrimer à l'économie allemande et en subir sa propre contrainte, *via* la monnaie et les coûts salariaux, victime de l'illusion d'une marche vers une Union européenne sociale.

• du SME à l'UE de Maastricht et à l'euro, de l'Acte unique au traité de Lisbonne en passant par la directive sur le marché intérieur (dite Bolkestein), c'est la victoire du marché : à chaque étape, il s'est agi de renforcer une construction sans Etat et sans budget significatif.

• la recherche d'une voie nouvelle entre fédéralisme et nationalisme : le nécessaire gouvernement économique de l'Europe, toujours invoqué, coordonnant les politiques budgétaires, fiscales et sociales n'a jamais été mis en place.

Le fonctionnement technocratique par une nouvelle gouvernance est une impasse totale (voir la partie *Economie politique de la crise* ci-après). Toutes les propositions en ce sens ont un point commun, elles ne sont jamais soumises à la démocratie, c'est-à-dire qu'il n'y a pas une véritable information générale sur tous les canaux médiatiques des différentes propositions (il n'y a que la pensée conformiste avec ses variantes), il n'y a pas de débat raisonné sur toutes les propositions et elles ne sont pas soumises en général au suffrage universel des citoyens.

Les appels à l'Europe sociale fondés sur l'espoir qu'un mouvement de masse de type « tsunami » pour changer les gouvernants ne sont qu'illusion. La mobilisation populaire est nécessaire mais non suffisante. Il ne suffit plus de se dire « alter », « atterrés » ou « gauche antilibérale » devant les méfaits de la finance, la question devient aujourd'hui de se positionner devant la grande crise du mode de production capitaliste. Le fait que l'euro est mal fagoté, que les revenus sont mal répartis est une réalité incontestable. Mais si on veut modifier radicalement la répartition de la valeur ajoutée, il faut avoir conscience qu'il faudra pour cela un processus révolutionnaire et non seulement un appel à la morale raisonnée.

La France (comme tous les autres pays) n'est pas les É-U, elle ne maîtrise pas l'euro comme la Fed le dollar, qui est une monnaie internationale ; pour équilibrer ses comptes, elle ne peut que courir après l'Allemagne, principalement en réduisant les coûts salariaux : la réforme des retraites, la proposition de retour sur les 35 heures mais aussi en cherchant à copier sa fiscalité (déclaration de François Fillon du 22 septembre 2011). Même si on commence enfin, pas seulement à gauche, à se poser la question d'une stratégie globale de compétitivité *via* une politique industrielle. Mais comment la mettre en œuvre sans sortir du cercle déflationniste de la rigueur imposé par l'euro : par exemple, les énergies renouvelables ne seront pas compétitives à l'extérieur si une incitation préalable au développement du marché intérieur n'a pas lieu.

Le problème vient de ce que demander aux Etats d'abandonner à froid leur souveraineté pour fusionner en un Etat européen (des Etats-Unis d'Europe), c'est demander à la dinde de préparer le repas de Noël. Delors avait imaginé une confédération d'Etats-nations : donc pas de budget européen, pas de solidarité redistributive, donc pas de République. Les européistes fédéralistes invoquent souvent l'exemple du Zollverein qui a fini par générer l'Allemagne pour expliquer que l'union économique et monétaire finira de même par donner l'Europe. C'est oublier que c'est la Prusse qui a conduit le processus, à travers de nombreuses guerres.

In fine, la marche vers la monnaie unique a abouti à un système d'étalon-or à parités fixes (voir la partie *Economie politique de la crise*) qui n'a eu pour effet que d'inciter les États à tenir les coûts salariaux et détricoter l'État social. Il fallait, disaient-ils, une monnaie forte pour discipliner des gouvernements jugés laxistes et légitimer en Allemagne l'abandon du mark. Avec Maastricht, les Etats ont accepté d'échanger leur souveraineté monétaire contre la stabilité monétaire, mais ont conservé la souveraineté budgétaire, militaire, etc.

Voilà pourquoi il faut développer une éducation populaire tournée vers l'action pour démonter tout cela. Ce livre n'est que le support de la nécessaire éducation populaire tournée vers l'action qui a déjà démarré depuis quelques années mais qui demande à être amplifié.

L'impasse souverainiste

Un autre type de discours apparaît crédible pour nombre de concitoyens : l'impasse souverainiste dans toutes ses variantes, la nationaliste ou la monétaire. Un point commun à toutes ces impasses souverainistes est l'utilisation d'une mécanique keynésienne en croyant pouvoir se dégager par un enchantement de la réalité matérielle. Après le socialisme dans un seul pays, d'Iossif Vissarionovitch Djougachvili alias Joseph Staline, voilà le paradis dans un seul pays !

Les ultra-libéraux de l'extrême droite, les souverainistes de droite prônent la sortie à froid de l'euro et de l'Union européenne, la fermeture des frontières pour pouvoir libéraliser en interne. Des groupes d'extrême gauche et des économistes de gauche sont aussi sur ce schéma. Nous avons ci-dessus fustigé les fausses solutions des idées surplombantes qui régleraient tout par simple déterminisme. Tous ces discours nient ou sous-estiment la crise de la productivité et donc de la profitabilité du capitalisme. Là est le cœur de la crise économique. Elle ne peut plus se régler seulement par une politique keynésienne. C'est pourquoi en plus des mesures de temps court nécessaire, il faut entamer des mesures de temps long qui aideront le surgissement du nouveau pli historique qui tournera le dos au turbocapitalisme et pourra produire la République sociale qui est aujourd'hui le modèle politique le plus crédible.

Un argument est souvent utilisé : « ce que font certains pays de l'Amérique latine (Equateur entre autres) est possible en France et en Europe ». Nous ne partageons pas cet optimisme idéaliste qui ne tient pas compte des analyses concrètes des situations concrètes. Si nous soutenons le mouvement de radicalisation latino-américain, force est de constater que ce n'est pas transposable en Europe. Une volonté de développement autocentré dans des pays où le salariat est peu développé, la paysannerie importante numériquement, l'existence d'un début de solidarités populaires et nationales, une internationalisation moins développée qu'en Europe, des équipes militantes liées aux masses, permet de mener les politiques qui sont menées actuellement. Nous devons donc comprendre pourquoi la relance keynésienne de 1981-82 en France n'a pas réussi. Parce qu'elle ne pouvait pas réussir.

Aujourd'hui, nous sommes insérés dans l'euro avec une internationalisation encore plus poussée, une désindustrialisation massive, des couches populaires (ouvriers, employés, majoritaire dans le pays) coupées majoritairement de la gauche tant sociale-libérale que de la gauche d'alternative, dans une nouvelle géosocociologie des territoires avec le déport des couches populaires vers les zones périurbaines et rurales (décrue rapide dans les villes centres, et décrue lentes dans les banlieues), un partage de la valeur ajoutée dégradé, avec une dégradation du vivre ensemble, une anti-démocratisation plus développée, une sphère de constitution des libertés (école, protection sociale, services publics) en destruction rapide, etc. Le niveau nécessaire du rapport des forces est sans commune mesure avec celui qui existe aujourd'hui en France et en Europe.

Besoin de république sociale

Les élites ordo-libérales ne maitrisent plus la spirale visant à détruire partout l'ordre social promu en France par le Conseil national de la résistance(CNR), et leur objectif est de retarder l'échéance. Cette échéance peut être plus ou moins longue en fonction du degré de préparation culturelle, sociale et politique des salariés citoyens et de leurs équipes militantes dédiées. Cela peut durer longtemps car le temps de l'histoire n'est pas le temps humain. Encore moins le temps des militants « pressés » par les échecs successifs de la génération 68 au pouvoir dans les années 80 et suivantes.

Il faut donc développer un vaste mouvement d'éducation populaire tourné vers l'action pour donner des « armes théoriques et politiques » aux salariés, aux citoyens mais aussi aux militants et responsables organisationnels, pour gérer cette période. Bien sûr, cette refondation doit porter aussi sur les partis politiques, le mouvement syndical, les mouvements associatif et mutualiste. Mais une éducation populaire, cela prend du temps, car elle consiste en un travail culturel pour une transformation sociale et politique pour éviter de penser une période avec des éléments de la pensée de la période précédente. Et ce travail culturel demande de ne pas se cantonner à faire des conférences de type universitaire « de haut en bas » ! Il faut lier des conférences magistrales interactives avec des séances de construction collectives des savoirs par exemple dans des assemblées citoyennes locales.

C'est la crise, de la dette aujourd'hui, qui fera imploser ou non la mondialisation néolibérale, l'Euro, ou l'Union Européenne. Tout ce que l'on peut dire aujourd'hui, est que la probabilité de cette implosion augmente. Il faut préparer, d'abord, dans le temps court, la protection des acquis sociaux contre le processus de privatisation des profits et de socialisation des pertes par la marchandisation et la privatisation de la sphère de constitution des libertés (école, protection sociale, services publics), voire du génome humain. Il faut résister à la tendance à l'harmonisation des systèmes de protection sociale par le bas et dénoncer l'alliance objective des forces néolibérales et des forces communautaristes et intégristes Mais il faut, en même temps, l'avènement d'une nouvelle République sociale pour quand le système s'effondrera. Avant ou après l'implosion, il est nécessaire d'articuler le mouvement d'en bas (mobilisations sociales et politiques) avec le mouvement d'en haut (institutions) en modifiant les institutions et les constitutions en travaillant en même temps dans le temps court que dans le temps long.

La véritable radicalisation du discours nécessaire aux couches populaires et aux couches moyennes intermédiaires est celle de la critique de la grande crise du capitalisme qui est sous-jacente aux désordres financiers de la planète. Ce que ne font pas la gauche social-libérale et les économistes qui se bornent à combattre la seule financiarisation.

Les écroulements du soviétisme et de la social-démocratie hier, du néolibéralisme aujourd'hui, mettent en lumière le seul modèle politique crédible dont on n'a pas épuisé la force, la République sociale, dont les prémisses apparaissent au moment de la Révolution de 1848, puis dans la Commune, et qui, théorisée par Jean Jaurès, sera reprise par le programme du Conseil national de la résistance(CNR), programme à abattre pour la droite néolibérale. Il nous reste à penser et à construire cette république sociale dans le contexte du début du 21ème siècle en répondant aux questions que posent les trois crises que nous connaissons : la crise économique systémique, la crise financière et la crise de la dette.

La voie européenne

Pour une Europe républicaine, il s'agit de revenir dans la voie keynésienne radicale, qui renoue avec le projet du CNR , qui contenait en filigrane « l'euthanasie du rentier », que Keynes n'a pas obtenue de son vivant, et qui fera passer de la mondialisation néolibérale[3] (règne de la finance et du libre-échange) à une démondialisation avec des échanges et une finance maîtrisés, souverains. À court terme, il faut d'abord récupérer les acquis sociaux (perdus) du CNR, mais aller plus loin, remonter la crémaillère d'un cran. À terme dans le temps long, la République sociale est anticapitaliste.

---

3 - Voilà ce qu'écrivait Denis Kessler, ex-numéro 2 du MEDEF et ancien président de la Fédération française des sociétés d'assurance(FFSA) et actuel président de la SCOR le 4 octobre 2007 dans la revue Challenges : « Adieu 1945, raccrochons notre pays au monde ! Le modèle social français est le pur produit du Conseil national de la Résistance. (...) Il est grand temps de le réformer, et le gouvernement s'y emploie. Les annonces successives des différentes réformes par le gouvernement peuvent donner une impression de patchwork, tant elles paraissent variées, d'importance inégale, et de portées diverses : statut de la fonction publique, régimes spéciaux de retraite, refonte de la Sécurité sociale, paritarisme… A y regarder de plus près, on constate qu'il y a une profonde unité à ce programme ambitieux. La liste des réformes ? C'est simple, prenez tout ce qui a été mis en place entre 1944 et 1952, sans exception. Elle est là. Il s'agit aujourd'hui de sortir de 1945, et de défaire méthodiquement le programme du Conseil national de la Résistance ! »

Le critère d'une voie républicaine consiste en un double processus de démondialisation et de définanciarisation. Cela exige une Europe puissance dans un monde multipolaire pour peser dans la « guerre » Chine-É-U, pour peser sur les autres nations émergentes, dont la Russie, etc., donc une Europe fiscalement harmonisée par le haut (fortement progressive), budgétaire, sociale. La démondialisation passerait donc par une économe-monde multipolaire, avec trois ou quatre zones monétaires, dont l'Europe, qui devra s'affirmer comme puissance pour pouvoir réguler l'économie (voir la partie *Economie politique de la crise*, chap. 4).

Il faudra d'abord, dans le temps court, créer le rapport de forces favorable pour reconstruire l'économie capitaliste en vue de la future République sociale (prévue dans le temps long), en tenant compte du processus européen dans lequel il faudra commencer par des ruptures partielles, pour le maintien de certaines solidarités européennes et internationales, par la création de nouvelles solidarités notamment avec l'arc méditerranéen (qui ne soit pas, comme l'Union pour la Méditerranée, un projet d'hinterland pour la France).

Dans le temps long, l'« altermondialisation multipolaire » s'effectuera dans le dépassement du capitalisme et donc l'émergence d'un nouveau mode de production : la république sociale,
qui tournera le dos au point commun entre le communisme soviétique et le capitalisme, le refus d'une séparation entre d'une la sphère de l'autorité publique et de constitution des libertés (école, protection sociale et services publics) et la société civile économique. Le communisme soviétique faisait dominer la seconde par le premier et le capitalisme le contraire. La république sociale, quant à elle, fixera cette stricte séparation. La première sphère sera donc gérée par une logique citoyenne régie par l'élection directe des responsables et donc financée totalement hors marché (par la cotisation sociale et l'impôt) contrairement à ce qu'il se passe aujourd'hui.

Outre une nécessaire vision de solidarité internationaliste par des solidarités choisies démocratiquement, cette république sociale devra assumer quatre ruptures nécessaires de la République sociale au 21ème siècle : démocratique, laïque, sociale et écologique.

• La rupture démocratique, réalisée la première fois au 17ème siècle en Angleterre, a profondément reculé depuis la construction européenne comme l'avait prévu Pierre Mendès –France dès le 18 janvier 1957 : « L'abdication d'une démocratie peut prendre deux formes, soit le recours à une dictature interne par la remise de tous les pouvoirs à un homme providentiel, soit la délégation de ces pouvoirs à une autorité extérieure, laquelle, au nom de la technique, exercera en réalité la puissance politique, car au nom d'une saine économie on en vient aisément à dicter une politique monétaire, budgétaire, sociale, finalement « une politique », au sens le plus large du mot, nationale et internationale. » (Voir dans la partie *Economie politique de la crise*, pp 48 -49 est développée l'idée de la bureaucratie au service de la finance à partir de Marx).

• Idem pour la rupture laïque engagé au 18 ème siècle en France et installée par la loi du 9 décembre 1905. Les profonds reculs depuis nous oblige à recommencer cette rupture laïque comme souhaitée par Pascale Le Néouannic lors du dépôt de la proposition de loi déposé au nom du Parti de gauche au Sénat par les sénateurs Labarre et Autun.

• La rupture sociale a été rendue nécessaire par le détricotage du programme du CNR(3). .Quant à la rupture écologique contre le productivisme, elle est rendue nécessaire par l'ensemble des dégâts réalisés par ce même productivisme.

Quant aux principes politiques qui doivent sous-tendre les politiques de la république sociale, ils sont au nombre de 10 : liberté, égalité, fraternité, laïcité, solidarité, démocratie, sûreté, universalité, souveraineté populaire et développement écologique et social. Ces 10 principes doivent retrouver leur élan révolutionnaire et tourner le dos aux ersatz utilisant les mêmes mots qui ont été forgés par l'hégémonisme culturel de l'ordo-libéralisme allemand. Ces mots appartiennent au combat général de l'émancipation humaine et nous devons les arracher un par un à l'hégémonisme culturel de nos adversaires pour les appliquer dans la politique concrète.

Promouvoir le principe de liberté n'est pas faire ce que l'on veut mais contribuer à une plus grande autonomie personnelle de chaque citoyen.

Promouvoir le principe d'égalité, c'est combattre son remplacement par l'équité qui maintient les inégalités sociales

Promouvoir le principe de fraternité, c'est travailler à des liens d'amitié et de solidarité entre ceux qui partagent le même idéal et non une simple « convivialité de comptoir ».

Promouvoir le principe de laïcité, ce n'est pas la noyer avec des adjectifs qui la plombent dans une simple tolérance mais lui donner son cœur d'être un principe d'organisation sociale et politique considérant la nécessaire liberté de conscience et l'instauration du principe de séparation entre d'une part les sphères de l'autorité politique et de constitution des libertés et d'autre part celle de la société civile.

Promouvoir la solidarité, c'est s'opposer à la simple charité qui gratifie le donneur mais c'est entrer dans un processus d'augmentation des droits pour tous et en tout lieu.

Promouvoir la démocratie, c'est ne pas confondre démocratie et plébiscite. C'est appliquer trois règles si bien décrites par Condorcet à savoir l'information sur toutes les idées et propositions sur tous les supports médiatiques (sans effet de seuil qui écarte toutes les idées nouvelles ou contestatrices), le débat raisonné entre tous les porteurs de proposition (et pas seulement les propositions des élites autoproclamées et autoreproduites par le système) et enfin mais enfin seulement l'application du suffrage universel. C'est définir les décisions qui doivent être soumises à référendum, celles qui peuvent faire l'objet d'un vote parlementaire, et celles qui sont décentralisées dans les collectivités territoriales.

Promouvoir le droit à la sûreté au nom de l'article 2 de la grande Déclaration des droits de l'homme et du citoyen du 26 août 1789, c'est défendre tous les droits des citoyens et de leurs familles contre toutes les violences d'où qu'elles viennent.

Promouvoir l'universalité, c'est mettre fin aux politiques ciblées par communautarisation ethnique, religieuse ou sociale et considérer que le chemin de l'émancipation passe par l'augmentation des droits politiques, sociaux, culturels pour tous en tous lieux. Par exemple, appliquer ce principe consiste à supprimer dans la santé la Couverture médicale universelle(CMU) et les inégalités sociales de santé et remplacer le tout par le droit (financé par le salaire socialisé) à la prévention et l'accès aux soins de qualité pour tous et en tous lieux.

Promouvoir la souveraineté populaire consiste à déclarer illégitimes les politiques néolibérales et ordo-libérales du primat de la concurrence et du marché sur la volonté générale du peuple en décrétant que toutes les orientations politiques doivent être délibérées par un processus démocratique(voir plus haut) et appliquées par les élus du peuple. Par exemple, plus jamais nous ne voulons qu'une minorité décide contre le peuple de valider le traité de Lisbonne après que 55% du peuple français aient voté non !

Promouvoir le développement écologique et social, c'est de promouvoir un développement anti-productiviste qui tourne le dos aussi bien aux dogmes de la croissance qu'à ceux de la décroissance.

Comme on le voit l'application de ces quatre ruptures et de ses dix principes balayent l'ensemble du champ culturel, social et politique et montre le chemin à prendre pour écrire une nouvelle histoire de l'émancipation humaine.

Cette république sociale doit s'appuyer sur trois piliers, à savoir l'Etat, la société civile et le corps politique des citoyens et non seulement deux piliers (Etat et société civile) comme dans la démocratie communautaire anglo-saxonne. Et sa condition est que le corps politique des citoyens soit autonome tant de l'Etat que de la société civile. C'est une des caractéristiques fondamentales de la République sociale que d'agir pour l'indépendance du corps politique des citoyens par les 4 ruptures et les dix principes. Bien évidemment, ce système supérieur en qualité à l'opposition stricte entre société civile et l'Etat justifie que la sphère de constitution des libertés soit indépendante par rapport à la logique du marché et que soit défini pour elle une logique citoyenne (voir ci-dessus) qui développe une autonomie par rapport au pouvoir d'Etat comme l'avait prévu le CNR pour la Sécurité sociale.

Cette république sociale doit s'appuyer sur une constituante, une nouvelle constitution et des lois et non sur la primauté des contrats et de la jurisprudence. Le droit ne doit pas s'autoréguler dans le dos des citoyens.

A la question : « Quelles idées avons-nous pour fédérer les forces nécessaires pour prendre en main les affaires dans un projet réellement alternatif ? » Notre réponse est : « Comme Keynes en 1943 à Bretton Woods, il faut proposer une utopie réaliste : aujourd'hui cela s'appelle une République démocratique, laïque, sociale et écologique donc pleinement politique. Ainsi, la nation, chassée par la porte, revient par la fenêtre, mais ce nécessaire et inéluctable retour ne dégénèrera pas en nationalisme, reproduisant les erreurs des années 30 et la guerre, car elle sera couplée à la république.

Quel programme ?

Nous ne sommes pas ici pour énoncer un programme pour trois raisons essentielles.

La première est que les programmes doivent être faits par les partis politiques. Encore faut-il que leurs programmes « parlent » d'abord aux couches populaires et aux couches moyennes intermédiaires. La gauche ordo-libérale (à l'instar du club de réflexion Terra Nova) a clairement opté pour l'abandon des couches populaires par la gauche.

La deuxième est que nous détaillerons des propositions dans les ouvrages thématiques qui suivront.

La troisième est que pour articuler le temps court et le temps long, il convient que ces propositions soient acceptées, puis reprises par les couches sociales mobilisées, appliquées par les gouvernants.

Nous reviendrons ultérieurement sur les conditions de ces processus sans lesquelles l'énoncé d'un programme d'expert verrait uniquement les lobbies agir sans la société mobilisée. Mais il y a le feu à la maison, il faut d'abord tenter d'éteindre l'incendie de la dette, « désarmer les marchés » comme disait Ignacio Ramonet, euthanasier le rentier pour l'empêcher de nuire comme disait Keynes et enfin redémarrer une politique économique qui assure l'emploi.

Mais tout cela sera vain si nous n'assumons pas la lutte des classes et que nous ne nous préparions pas à préparer la nouvelle société et son modèle politique laïque de la République sociale dont nous avons rapidement, trop rapidement esquissé les 4 ruptures et les 10 principes. C'est cela aussi penser au temps long.

C'est bien à une révolution républicaine que nous sommes conviés. Comme en 1792, comme en 1936, comme lors du Conseil national de la résistance. Avec le modèle laïque de la république sociale en point de mire pour le temps long, mais avec des mesures qui demain et tout de suite, préparerons dans le temps court les objectifs de long terme de la révolution républicaine assumée. L'éducation populaire tournée vers l'action n'est pas faite pour former les soldats de la République, mais pour convaincre qu'avec la République, les citoyens et leurs familles seront mieux et plus libres. Ils n'auront plus le produit de leur travail qui se dresse devant eux comme leur maître : ils retrouveront le chemin de leur émancipation et de leur désaliénation.

L'élargissement de l'UE aux PECO a fourni à l'Allemagne un hinterland à bas salaires, espace de délocalisations plus faciles et qui lui a permis de réduire très sensiblement ses coûts salariaux, notamment dans l'agriculture.

Le néoprotectionnisme universaliste, social et écologique revient à taxer les produits à l'importation non en fonction des prix mais en fonction du différentiel de protection sociale et écologique entre le pays importateur et le pays exportateur. Le produit de cette taxe devant être versé au système de protection sociale et écologique du pays exportateur jusqu'au moment de la convergence.

Voilà ce qu'écrivait Denis Kessler, ex-numéro 2 du MEDEF et ancien président de la Fédération française des sociétés d'assurance(FFSA) et actuel président de la SCOR le 4 octobre 2007 dans la revue Challenges : « Adieu 1945, raccrochons notre pays au monde ! Le modèle social français est le pur produit du Conseil national de la Résistance. (...) Il est grand temps de le réformer, et le gouvernement s'y emploie. Les annonces successives des différentes réformes par le gouvernement peuvent donner une impression de patchwork, tant elles paraissent variées, d'importance inégale, et de portées diverses : statut de la fonction publique, régimes spéciaux de retraite, refonte de la Sécurité sociale, paritarisme... A y regarder de plus près, on constate qu'il y a une profonde unité à ce programme ambitieux. La liste des réformes ? C'est simple, prenez tout ce qui a été mis en place entre 1944 et 1952, sans exception. Elle est là. Il s'agit aujourd'hui de sortir de 1945, et de défaire méthodiquement le programme du Conseil national de la Résistance ! »

Économie politique de la crise

Introduction

En 2007, la crise des « subprime » née aux États-Unis, devait n'avoir aucun effet de contagion, ni vers les autres pays, l'Europe étant protégée par l'euro, ni vers l'économie réelle, car c'était un problème purement financier. Même antienne après le krach de l'automne 2008 : les fondamentaux sont sains, etc.

Pourtant, pour qui connaît un peu l'histoire des faits, la crise ouverte à l'automne 2008 reproduit, *cum grano salis*, celle des années 30 : 2008 reproduit 1929 (crise financière de crédits hypothécaires spéculatifs), la crise actuelle de l'euro reproduit celle du bloc or des années trente, et bien d'autres similitudes, même si le pragmatisme l'emporte cette fois sur le dogmatisme anti-étatiste. On pouvait être sûr, dès l'automne 2008, que, de même qu'après des années 20 de prospérité largement artificielle, les années 30 ont été des années de « grande crise », de même, après des années de bulles internet, immobilière, etc., la sortie de crise rapide annoncée pour 2009 ou 2010 était une illusion, ou une vaste blague.

C'est une grande crise, donc, et beaucoup de ceux qui en ont toujours nié la possibilité l'admettent aujourd'hui, même s'ils en attribuent la responsabilité à des éléments extérieurs à la nature capitaliste de nos économies développées : la cupidité de financiers ayant pris des risques excessifs, le laxisme de gouvernants qui ont acheté à crédit leur pérennité aux commandes de l'État, etc. Et la sortie de crise ne sera pas plus heureuse que ne l'aura été la mondialisation, même si nombre d'organisations, politiques, sociales, intellectuelles, nous promettent une rectification de la situation pourvu que l'on fasse le bon choix dans les urnes.

Il faut comprendre que l'on est sorti de la crise de 29 par la seconde guerre mondiale, et que, de même, on sortira de la crise actuelle après un événement violent qui permettra de reconstruire et redémarrer. Si le programme du CNR a pu structurer en France la base des « 30 glorieuses », si ailleurs ce fut autre chose (l'« économie sociale de marché » en Allemagne, etc.), c'est que partout la seconde guerre a balayé les forces politiques et sociales anciennes et permis une autre organisation de la société.

La guerre balaya aussi les idées économiques auparavant dominantes, fondamentalement les mêmes qu'aujourd'hui, les idées libérales. Dès la fin de la première guerre mondiale, la vision libérale-conservatrice domina les débats au Congrès de Versailles, où les gouvernements vainqueurs entendaient imposer à l'Allemagne le paiement d'importantes réparations de guerre. Keynes, présent dans la délégation britannique, les considéra très excessives et porteuses d'une guerre future. Selon lui, le slogan « l'Allemagne paiera » ne pouvait tenir lieu de politique de sortie de crise.

De même, quand l'Angleterre entreprit de restaurer la parité-or de la livre sterling à son niveau d'avant la guerre, il dénonça les conséquences déflationnistes de cette politique (baisse d'activité, chômage, misère…), porteuses de révoltes contre l'économie de marché et la société de libre entreprise. Et il passa les années 20 à ferrailler contre la politique de monnaie forte prônée par ce qu'il appelait le « point de vue du Trésor », c'est-à-dire l'orthodoxie financière, qui commandait de gérer les finances publiques en bon père de famille, à l'équilibre, avec intervention minimale de l'État dans la marche de l'économie[1]. En 29 et en 39, l'histoire lui donna doublement raison.

Il avait raison parce qu'en continuateur de l'économie politique, Keynes analysait l'économie capitaliste comme un système de relations entre classes, à l'encontre de ceux qu'il appelait les « classiques », qui la conçoivent comme une économie, non pas capitaliste, mais de marché, c'est-à-dire une économie de relations d'échange interindividuelles. Certes, de sa naissance, au début du 18e s., jusqu'à Smith qui la formula sur la base de la théorie de la valeur-travail, puis Ricardo au 19e, l'économie politique défendait la doctrine libérale, contre le conservatisme de l'ordre royal établi, celui des corpora-

---

1 - Telle que définie par le libéralisme français de la seconde moitié du 19ème s., l'orthodoxie financière admet que l'État puisse emprunter pour financer un investissement productif. Abandonnée pour l'État, cette règle prévaut pour la préparation du budget des collectivités locales, qui ont obligation de voter la partie fonctionnement en équilibre. Elle peut justifier les propositions d'ôter l'investissement de l'État du calcul de son déficit.

tions et des barrières à l'échange. Contre le mercantilisme, notamment colbertiste, elle voulait libérer l'initiative individuelle et la création de richesse du corset de la « police », principalement celle des grains. Dès le début, le libéralisme portait en germe le rejet de l'autorité politique sur les affaires économiques.

Mais les crises récurrentes du 19ème s. conduisirent rapidement l'économie politique à mettre en cause la rationalité du capitalisme et à tourner ses regards vers le socialisme, tels les élèves de Ricardo en Angleterre, Proudhon en France, et bien sûr Marx.

Pour sauver leur doctrine, les économistes libéraux abandonnèrent alors la valeur-travail et développèrent, sur la base de la valeur-utilité, la science économique, approche aujourd'hui dominante, qui conçoit l'économie comme un ensemble d'interdépendances entre individus dont les choix autonomes d'individus rationnels sont coordonnés par le marché pour le bien de tous. Le libéralisme dit donc que pour peu que les individus puissent se déterminer librement et que le fonctionnement du marché ne soit pas faussé, « tout est pour le mieux dans le meilleur des mondes possibles » (Pangloss à Candide).

En conséquence de son choix méthodologique, la science économique exonère le marché de toute responsabilité dans les éventuels dysfonctionnements de l'économie, qui s'expliquent « naturellement » par une perturbation du libre jeu du marché. La place de l'État doit donc être minimale, limitée aux fonctions régaliennes (justice, police, défense nationale), protectrices en fait de la propriété individuelle. Le projet libéral est dès le départ un projet total, économique et politique, deux dimensions indissociables que des libéraux honteux de la gauche social-libérale, tel l'auteur du célèbre « oui à l'économie de marché, non à la société de marché », prétendent pouvoir dissocier. C'est un projet anti-républicain, si, à l'instar de Jaurès, on entend par république une démocratie laïque et sociale, c'est-à-dire avec services publics et protection sociale en progrès constant.

L'institution de la république ne peut pas reposer sur les lois de la science économique, puisqu'elles excluent par principe toute solidarité par redistribution de la richesse. Si les classes sont bien à la base de la dynamique économique et sociale, en nier la réalité pour les dissoudre dans les relations de marché a pour effet de légitimer les choix politiques et sociaux de la classe dominante, et seul le point de vue de l'économie politique peut définir les bases d'une république sociale véritable. Il y a certes plusieurs définitions possibles des classes, selon le niveau de radicalité auquel on se place. Si on suit Marx, elles se définissent par la position dans le rapport de production, qui oppose prolétaires et capitalistes, tandis que si on suit Keynes, on oppose au niveau plus fonctionnel des fonctions macroéconomiques (consommation, épargne, investissement …), les salariés et entrepreneurs aux rentiers, la contradiction étant ici soluble dans l'économie de marché. Essai de synthèse de ces deux positions, la notion de rapport salarial mise en avant par l'École de la régulation, se situe au niveau de la répartition de la richesse produite, ce qui, fondamentalement, reste plutôt du côté de Keynes.

La manière d'aborder la structure de classe de l'économie capitaliste détermine l'analyse de la dynamique du capitalisme et de ses crises et l'efficacité des propositions qui en découlent. Un retour sur l'histoire montre alors que pour éviter les impasses, la bonne voie doit partir des lois induites par la nature du rapport de production capitaliste et des rapports sociaux qui en résultent. Il ne s'agit pas de faire dans le mécanicisme, il n'y a pas de lois en économie comme en physique déterministe, mais il y a des lois tendancielles, c'est-à-dire des lois plus ou moins momentanément surpassables par la volonté des hommes, mais qui, sans prédire l'histoire, en donnent le sens. En effet, les décisions politiques peuvent aller à l'encontre de mécanismes économiques « spontanés » (dans la seule mesure où ils jouent dans un cadre institutionnel construit), mais cela va induire des effets en retour qui vont contraindre de nouveaux choix politiques, etc. En dernière instance, à travers des chaînes de relations causales avec boucles de rétroaction multiples, les lois du rapport de production finissent par s'imposer, sans cependant déterminer mécaniquement la trajectoire finale.

Si on veut savoir « que faire » (de correct), il faut donc analyser l'état actuel du capitalisme, ce qui implique d'en expliquer la genèse. Or la dynamique du capitalisme renvoie à la recherche du profit : le capital, c'est de l'argent qui doit faire de l'argent, le profit, sans quoi il n'est plus. Dans sa forme la plus développée, quand le capital se soumet toute l'activité sociale, le profit vient de la captation *via* le rapport salarial et le marché, d'une partie de la valeur de la production sociale de marchandises. Marx a résumé cela par la formule A-M-A', que Keynes a reprise pour caractériser sa notion d'« économie monétaire de production ». Le capitalisme est en crise quand ceux qui font de l'argent ne peuvent plus en faire. Cela n'est pas un problème individuel, mais la conséquence de limites structurelles à la production de profit : Marx parlait de la loi de baisse tendancielle du taux de profit (BTTP) pour désigner les difficultés de la production, c'est-à-dire de l'offre. Les causes en sont multiples, mais peuvent se résumer à l'idée qu'il faut toujours mobiliser plus de moyens pour faire travailler les salariés. Cette hypothèse est globalement validée par les études économétriques qui se soucient de cette question. Ainsi, l'École de la régulation en a fait la base de sa théorie de la crise du fordisme de la seconde moitié des années 60. Elle est à la base de nombre d'analyses marxistes ou keynéso-marxistes plus récentes (G. Duménil et D. Lévy, M. Husson, etc.)[2].

Si on revient à Marx et à l'idée de « tendancialité » des lois, on peut lire l'histoire économique depuis les années 70 comme l'histoire de la gestion de cette crise par les capitalistes et l'État : pour restaurer-maintenir le profit, on a dans un premier temps, la fuite dans l'inflation, puis au tournant des années 70-80, le recours à la financiarisation et aux politiques de compétitivité, lesquelles impliquent une désocialisation continue de l'activité que, dans un troisième temps, la question émergente de la dette rend de plus en plus cruciale et de plus en plus critique. La financiarisation et les politiques néo-libérales de gestion de la crise « industrielle » ouverte au tournant des années 70, ont restauré les profits : mais ce n'était qu'artifice, les licenciements boursiers, les délocalisations industrielles et le pillage de la rente sur les matières premières[3] ont réduit les coûts d'exploitation, mais elles n'ont pas résolu la crise de productivité réelle du capital, qui se manifeste aujourd'hui de nouveau au grand jour dans l'éclatement de la crise financière. Cette dernière a certes des causes propres, mais elle est fondamentalement la conséquence de l'impasse dans laquelle s'est enfermé le néo-libéralisme pour surpasser la crise du fordisme : il a « tué »

2 - Références en fin de texte.

3 - L'ouverture est imposée au pays du Sud par les IFI (institutions financières internationales : FMI, Banque mondiale…) en contrepartie de l'aide dans le cadre des PAS (plan d'ajustement structurel), cf B. Conte, *op. cit.*

l'inflation, mais pas rétabli la croissance réelle et a donc engendré un endettement continu sans parvenir à réduire le chômage. La gestion de la crise actuelle est purement financière, qui consiste à « sauver les meubles » (les banques), précipitant par là même une crise de débouchés, qui se manifeste pour l'instant par une nouvelle phase de stagflation contenue, ce qui ne peut pas être une solution durable.

Nul ne peut dire ce que sera exactement la sortie de crise, mais le nouveau système de production sera nécessairement plus socialisé que celui : la « reconstruction » qui suit chaque grande crise ajoute une strate de social et fournit la boîte à outils d'intervention de l'État. Le sens de l'histoire va ainsi vers un progrès de la république, c'est-à-dire d'une économie de marché encore capitaliste, pour un temps, mais qui intègre de plus en plus le travail dans la dynamique nationale. La république sociale est durable, parce que le rapport de forces y permet que les choix ne soient plus ceux du seul capital, mais le résultat d'une délibération politique réellement démocratique.

Chapitre 1
La monnaie et la république

La monnaie est au centre du fonctionnement de l'économie capitaliste : sans monnaie, pas d'échanges marchands, pas de salaire, etc. On définit généralement la monnaie par les fonctions qu'on lui attribue, ce qui oppose la doctrine libérale, qui la réduit à un simple intermédiaire des échanges marchands (la « grande roue de la circulation » des classiques), et l'hétérodoxie, qui la conçoit essentiellement comme un moyen de paiement, c'est-à-dire un moyen de mettre de la richesse en réserve.

Suivant la première voie, la pensée économique a développé la fable du troc et de la monnaie-marchandise, selon laquelle la monnaie est par nature une marchandise matérielle. Cette monnaie facilitatrice des échanges aurait ensuite subi, concomitamment au développement du crédit, un processus de « dématérialisation », le développement du crédit et la complexification du système monétaire ayant détaché la monnaie de la marchandise. La monnaie y est pensée comme naturellement neutre par rapport à l'économie réelle, les instances politiques doivent alors veiller à préserver cette neutralité, afin que des perturbations monétaires ne génèrent pas dysfonctionnements dans le jeu du marché et pénalisent l'économie réelle.

Pour les tenants de la seconde voie, au contraire, la monnaie est une institution sociale, ces « mécréants » faisant valoir que dans l'histoire des sociétés, il n'existe pas de monnaie qui ne soit liée à un pouvoir qui l'institue, la contrôle et en guide la vie. Contrairement à la croyance « populaire », mais implicite chez les tenants de l'orthodoxie libérale, la monnaie n'est pas une chose naturelle, que l'on pourrait laisser suivre son propre cours, mais l'expression de l'organisation sociale de la production et de la répartition de la richesse autour du marché.

L'opposition de ces deux approches est aussi celle de la monnaie et de l'argent en même temps que d'économie de marché et de capitalisme. Monnaie et argent sont deux termes généralement pris l'un pour l'autre, et certaines langues n'ont qu'un mot pour les deux, mais il peut être utile de les distinguer : empiriquement, la monnaie est constituée des pièces, billets et dépôts à vue (DAV, couramment appelé compte-chèques ou compte-courant), elle relève du système de paiement ; notion plus abstraite, l'argent, c'est plutôt la richesse, plus exactement le droit à n'importe quelle richesse marchande, l'équivalent général de toute richesse. Avoir de la monnaie, c'est pouvoir payer un achat, avoir de l'argent, c'est être riche.

La nuance est cependant marginale, dans la mesure où la monnaie représente l'argent dans la circulation marchande et que l'on peut donc assimiler monnaie et argent et définir la monnaie comme « forme liquide de la richesse », selon l'expression de Keynes, richesse en soi, donc, que l'on peut stocker, détourner de la circulation marchande, en un mot, thésauriser. On peut donc promettre un paiement futur en monnaie pour un achat présent pour lequel on n'a pas l'argent et interrompre ainsi la relation circulatoire M-A. À s'en tenir à la seule mécanique des échanges interindividuels, comme dans la conception libérale, le crédit et l'activité financière apparaissent comme un simple échange de biens contre d'autres biens, et épargner, c'est simplement acheter des biens d'investissement au lieu de biens de consommation.

Monnaie et système des paiements renvoient ainsi à économie de marché, économie qui consiste en achats et ventes de marchandises, biens ou services, au comptant ou à crédit. Mais économie de marché est une expression vide de contenu réel, car il n'existe pas de société naturellement fondée sur le marché, sans institutions sociales politiquement légitimées qui encadrent son fonctionnement. Parler d'économie de marché, c'est raconter la fable d'une économie construite par un ensemble de relations marchandes entre individus, inégaux par leurs talents, mais égaux en droits. La monnaie y est secondaire, reçue en règlement d'une vente pour être remise en circulation par l'achat qui suit : la seule réalité dans cette histoire, c'est la recherche individuelle du bien-être par l'échange des biens ou services, que la monnaie voile et que la science dévoile. Cette notion ne sert qu'à nier la nature de classe de l'économie capitaliste. Parler de capitalisme, à l'opposé, c'est concevoir l'économie comme un système traversé par le conflit entre les capitalistes, maîtres de l'argent, et les travailleurs, qui le mettent en valeur. Selon Keynes, qui reprend la formule A-M-A' de Marx, le capitalisme est une économie monétaire de production, c'est-à-dire une économie de marché, donc avec monnaie, mais dont la dynamique de profit repose sur la production de richesses. La réalité, ici, c'est la monnaie servant à acheter des biens, mais aussi à verser les salaires, dans le dessein d'avoir, non pas spécialement plus de monnaie, mais plus d'argent, plus de capacité à accéder à la richesse, c'est-à-dire gagner du crédit. La logique de l'économie capitaliste, c'est le profit, et la monnaie devient de l'argent qui cherche à « faire de l'argent ».

La monnaie est aujourd'hui créée dans les opérations de crédit des banques commerciales, «sous coaching» de la banque centrale, ainsi que la nécessaire cohésion du système des paiements l'impose. Mais les banques ont aussi une dimension financière, centralisant et concentrant l'épargne, qui n'est autre que l'argent disponible pour financer l'activité économique. Du fait de la centralité de l'activité bancaire dans l'économie et des effets qui en découlent, une autorité doit avoir un pouvoir de régulation de la création monétaire, *via* le contrôle du coût du crédit et des institutions financières. La conception de la monnaie détermine des institutions monétaires et des principes de gestion plus libéraux ou plus interventionnistes, plus favorables au monde des affaires ou à celui du travail. La république est en jeu.

1. La monnaie dans le système national de paiements

Les banques commerciales créent de la monnaie privée, par leurs opérations de crédit. La cohésion du système bancaire et la possibilité des intérêts nets et du profit exigent une monnaie externe, une monnaie pour les banques. La monnaie publique est cette monnaie, émise en contrepartie, soit d'un excédent des paiements internationaux (crédit à l'Extérieur), soit d'un financement du budget public (crédit à l'État)

a- Les banques commerciales créent la monnaie privée en faisant crédit
Dans une opération de prêt, la banque ne transfère pas de la monnaie d'un épargnant à un emprunteur, elle crée d'un trait de plume (électronique, maintenant) la monnaie prêtée, que l'on appelle donc monnaie scripturale. En effet, la banque ne peut pas faire autrement qu'inscrire la somme correspondante au crédit du compte de dépôt à vue[4] (DAV) de l'emprunteur, qui figure à son passif, puisque,

---

4 - Couramment appelé compte-chèques ou compte courant.

ce faisant, elle s'engage à exécuter tout ordre de paiement - chèque, virement, etc. - sur cet avoir nouveau. En contrepartie, elle inscrit sa créance à l'actif, en débit du compte client de l'emprunteur. Ainsi, elle crée totalement la monnaie mise à disposition de l'emprunteur, sous la forme d'une créance-dette.

Historiquement, l'inscription en compte créatrice de monnaie était la suite d'une opération d'escompte : la banque achetait à un fournisseur la lettre de change (ou traite) que lui avait signée un client, elle créait donc de la monnaie pour le fournisseur en prenant sa place en tant que créancier du client. De même aujourd'hui, la somme prêtée est portée au crédit du fournisseur, tandis qu'à son actif, elle inscrit la valeur du titre de créance diminuée de l'escompte, la commission prélevée par la banque pour rémunération du crédit et qui fera son profit. Ainsi, les banques créent de la monnaie par monétisation de créances privées (même si le prêt est personnel, non commercial, ou si le débiteur peut être public).

Symétriquement, la monnaie est détruite par un prélèvement sur le compte : en cas de chèque, virement ou retrait de billets au guichet ou dans un DAB, le débit du compte détruit la monnaie créée par le crédit. Ainsi, dans le cas d'un escompte, les paiements pour le compte du fournisseur détruiront la monnaie créée, tandis que le paiement de la traite à son échéance annulera la créance à l'actif en contrepartie d'une entrée de cash (chèque ou virement). C'est une erreur fréquente de penser que la banque prête de l'argent préexistant, et tout autant, même si cela paraît plus élaboré, de distinguer deux types de crédits bancaires : l'un « monétaire », créateur de la monnaie prêtée, l'autre « financier », par lequel la banque prête l'épargne qu'elle a collectée. En effet, de ce qui précède, il résulte qu'un compte en banque n'est pas une cagnotte dans laquelle on glisse des euros comme des pièces dans un petit cochon et que la monnaie ne peut être stockée et transférée.

En effet, imaginons qu'elle veuille prêter à A, pour financer un investissement, l'argent que B a déposé sur un compte d'épargne. Cela ne saurait concerner B, pour lui son argent est toujours sur son compte à la banque[5], laquelle,

---

5 - On a certes connu tel agriculteur retirant tout son argent de sa banque, le Crédit agricole, pour qu'il ne soit pas prêté à un « gros » qui avait entrepris de s'agrandir encore en rachetant les terres de petits exploitants en difficulté.

d'ailleurs, ne va pas lui indiquer que son argent n'est plus chez elle, mais passé sur le compte de A. Cela ne pourrait pas se concevoir même avec des billets ou des pièces déposés dans un coffre de la banque, car dans ce cas l'argent ne pourrait pas « travailler » et générer l'intérêt servi : « l'argent ne fait pas de l'argent comme le poirier fait des poires » (Marx). Il y a longtemps, en réalité, que l'argent de B n'est plus à la banque : il a servi à acheter des titres, à payer des dettes, etc. L'argent déposé en compte n'est plus qu'un droit à de l'argent : c'est de l'argent fictif.[6]

En réalité, la relation entre les prêts et les dépôts est à l'inverse de celle qui vient spontanément à l'esprit : les dépôts permettent les prêts, mais ils ne les font pas, ce sont les prêts qui font les dépôts[7]. L'illusion vient du fait que la banque qui crée de la monnaie a un passif très instable, qu'elle doit stabiliser. En effet, une banque est une entreprise comme une autre dans la mesure où elle doit produire un bilan lui permettant de fonctionner avec profit et de se développer, mais elle est une entreprise particulière en ce qu'elle produit de la monnaie, une dette à vue. Et quand un titulaire de DAV règle un achat ou une dette en tirant sur son compte, par chèque ou virement, sa banque voit son passif à court terme fondre.

La solidité de la banque suppose qu'en même temps, elle reçoive d'autres dépôts. C'est le cas notamment si elle reçoit des dépôts d'épargne, ressource d'autant plus stable que le dépôt est long. Dans sa pratique, le banquier ne peut prêter (et créer de la monnaie), que s'il collecte de l'épargne. Il est donc rationnel qu'il pense que son métier est de prêter l'argent qu'il reçoit (et non celui qu'il fabrique), et c'est bien ainsi qu'il doit mener son affaire.

b- La banque centrale couronne le système national des paiements

---

6 - Un titre financier qui donne droit à une entrée régulière d'argent, par exemple les intérêts d'un bon du Trésor ou les dividendes d'une action, peut se négocier, comme une marchandise, ce titre représente alors un capital-argent fictif. Son prix varie en principe en sens inverse du taux de l'intérêt, mais la spéculation peut le hausser à des niveaux défiant toute rationalité, c'est le cas des bulles : alors, quand un krach survient parce qu'il n'y a plus d'acheteurs pariant à la hausse du cours, et que le château de cartes s'effondre, ce qui part en fumée n'était déjà que fumée. Ainsi, les fortunes assises sur des valeurs boursières sont purement fictives et leur disparition appauvrit leur détenteur, mais pas la nation.

---

7 - Dans la littérature anglo-saxonne, on opposait « loans make deposits » à « deposits make loans ».

Un système des paiements bancaires ne peut pas fonctionner sans une banque des banques qui crée la monnaie pour que les banques règlent leurs dettes mutuelles, afin qu'un euro soit toujours un euro quelle que soit la banque qui l'a émis. En effet, un banquier a deux problèmes de « fuites » : il doit faire face aux retraits de billets émis par la Banque nationale ; il doit payer les chèques ou virements que ses clients ont émis en faveur de clients d'autres banques. La question des billets de banque relève plus d'un héritage pratique de l'histoire que d'une question de fond. Quand le titulaire du compte veut des billets, il les achète à sa banque, laquelle les achète à son tour à l'institut d'émission (généralement, la banque centrale), qui en a le monopole sur le territoire national, et la convertibilité des euros de banque commerciale en euros de la banque centrale exprime l'unité de la monnaie nationale. Le retrait de billets vient en déduction de l'avoir du client et la banque détruit (d'un trait de plume) la monnaie qu'elle avait créée (d'un trait de plume). En contrepartie, la diminution du passif est compensée (jusqu'au paiement) par une dette auprès de la BC.

Le système des paiements pourrait fonctionner sans billets, cela peut se concevoir. Par contre, la question des paiements interbancaires est essentielle. Car un paiement par tirage sur un compte se traduit par un débit du compte du tireur et un crédit sur le compte du bénéficiaire. Si les deux comptes sont dans la même banque, pas de difficulté particulière, mais si le bénéficiaire dépose son chèque auprès d'une autre banque, celle-ci inscrira la somme au crédit de son client et, en contrepartie, au débit de la banque émettrice, à son actif, donc.

Les paiements par monnaie de banque induisent la constitution de créances et de dettes entre banques, ce qui nécessite, d'abord des procédures de compensation pour les créances-dettes croisées, et des paiements interbancaires pour les soldes, car il n'y a aucune raison que les comptes entre banques soient équilibrés. Il y a même des raisons pour qu'il n'en soit pas ainsi, dans la mesure où toute banque doit faire du profit, et que les paiements interbancaires en sont une source importante. Or une banque qui a structurellement plus de clients qu'une autre a toutes chances d'être structurellement créditrice : soit elle fera crédit et recevra des intérêts, soit elle sera payée, dans tous les cas elle reçoit de l'argent.

La question est de savoir d'où peut venir cet argent. Car une banque ne peut pas payer une dette avec sa propre création monétaire, ce serait comme cet « homme du peuple » qui voulait faire un chèque à sa banque pour renflouer son compte !

Techniquement, les banques ont besoin d'une banque des banques et la banque centrale en fait fonction, en émettant la monnaie centrale monnaie pour les banques, mais pas à l'occasion de prêts, car en principe la banque centrale ne prête pas aux banques, elle leur achète des actifs.

Historiquement, la Banque centrale a principalement pratiqué le réescompte, c'est-à-dire l'escompte à une banque qui a besoin de liquidités de titres qu'elle avait elle-même escomptés dans un premier temps. La pratique moderne des prises en pension par réméré, c'est-à-dire par achat de titres avec revente concomitante, peut s'interpréter comme du réescompte à taux variable.
Dès lors que les monnaies de banque commerciale, monnaies privées, sont convertibles en la monnaie centrale, elles lui sont équivalentes, et elles sont la monnaie nationale. En refinançant les banques pour leur fournir de la trésorerie quand besoin est, la banque centrale garantit la monnaie privée et en fait une monnaie publique : elle remplit le service public de création de la monnaie.

Le périmètre de définition et de garantie de cette convertibilité ne peut logiquement être que l'État-nation[8], périmètre de solidarité politique, où se définit l'acceptation du système, la définition de ses garanties, qui impliquent le consentement à l'impôt, etc. Le gendarme qui édicte des règles de sécurité monétaire, c'est le législateur, et le superviseur qui en assure l'exécution, c'est la banque centrale, qui a historiquement reçu délégation pour émettre la monnaie nationale sous la forme des billets.
Le système bancaire n'est donc pas la simple addition des banques, contrairement au point de vue des économistes vulgaires, qui s'en tiennent aux apparences et qui s'imaginent que cela pourrait fonctionner sans réglementation

8 - C'est bien parce que le périmètre de l'euro ne l'était pas, que l'échec en était annoncé *(cf infra,* chapitre 3). De plus, la zone euro ne couvre pas l'ensemble de l'Union européenne.

globale, c'est-à-dire sans autorités monétaires : le *free banking* est une ânerie[9]. S'il n'existe pas de monnaie qui ne soit nationale, ni de banques commerciales sans banque centrale, ce n'est pas par une aberration universelle des esprits, c'est la conséquence de la nature même de la monnaie.

2. La monnaie et les paiements internationaux

L'espace de la monnaie nationale ne se limite pas à la nation, car qui dit nation, dit frontières (et comment faire autrement, sauf à nier la socialité de l'activité humaine), et autres nations au-delà des frontières, donc autres monnaies. Comme les échanges internationaux impliquent des paiements, il faut une conversion entre monnaies nationales homogénéisées dans l'espace mondial. Quand un exportateur obtient un paiement, par exemple un chèque en £, il le dépose à sa banque, qui inscrit les devises à son actif en créance sur la banque centrale du pays importateur et les convertit en monnaie nationale, soit l'euro, sur le compte de l'exportateur ; à l'opposé, un importateur est débité de son paiement par sa banque quand la banque correspondante chez le vendeur a crédité son compte et remis le chèque à sa propre banque centrale, laquelle crédite à son passif le compte de la banque de l'exportateur et débite à son actif une créance sur l'émetteur de la devise. Parallèlement, la BC nationale débite à son passif le compte de la banque de l'importateur et y crédite une dette envers l'émetteur de la devise. Les BC monétisent donc les créances-dettes inter-nationales, c'est-à-dire, schématiquement, les soldes des balances des paiements.

Ainsi, un importateur qui paie sa dette privée endette sa nation, un exportateur, au contraire, l'enrichit de créances sur l'Extérieur. L'effet est inverse pour un importateur (ou un exportateur) de capitaux. Ici se révèle la nature sociale de la monnaie et le service public que rend la banque centrale. On appellera monnaie d'État cette monnaie de banque centrale, nationale, donc gérée par l'État, qui unifie les monnaies de banque (monnaies privées) et qui est émise

---

9 - Et les idées qui tournent autour de l'*open money* (monnaie libre) en sont d'autres, tout à fait comparables : penser que l'on pourrait obtenir de la monnaie sans coût pour autant qu'on la fournisse en abondance parce qu'on pourrait, grâce aux NTIC, la dupliquer *ad libitum*, comme un fichier numérique, c'est un avatar moderne des vieilles idées « abondancistes », de Proudhon à Duboin, en passant par Silvio Gesell et Major Douglas.

comme prêt à l'État national, dans l'achat aux banques de titres d'État, ou à un État étranger, dans la monétisation des avoirs en devise (prêt à l'extérieur). On retrouve donc au niveau international le problème des soldes de créances-dettes après compensation : quelle monnaie pour les nations ? On pensera naturellement à une banque centrale mondiale, mais le problème est que par définition il n'y a pas de nation des nations. L'histoire a fait émerger divers arrangements, mais chaque fois il s'est agi de rapports de force, la BC de la nation dominante devenant la devise clé autour de laquelle a tourné le système monétaire international (SMI).

On a d'abord eu le système de l'étalon or, dans lequel les paiements internationaux se soldaient en principe par des transferts de métal. Mais cela limitait le développement des échanges à la productivité minière, et une nation qui n'y avait pas accès directement devait nécessairement avoir une balance des paiements au moins équilibrée, et mieux excédentaire afin de constituer des réserves. Les nations se sont accordées plus ou moins implicitement pour passer outre : c'est ainsi que, de fait, la BC anglaise géra le système des paiements internationaux tout au long du 19e s. en prêtant des devises aux pays illiquides le temps qu'ils s'ajustent, et s'ils n'y arrivaient pas, c'était la guerre. Après la première guerre mondiale, on a mis en place le « gold exchange standard » (GES) qui consistait à définir chaque monnaie nationale en poids d'or et à régler en devises considérées équivalentes à de l'or. Il fallait alors constituer des réserves en devises.
La volonté des uns de revenir à l'or gêna les autres et fit s'écrouler la construction, c'est ainsi qu'à la fin de la seconde guerre mondiale, les Etats-Unis, créditeurs du monde capitaliste, imposèrent le contenu des accords de Bretton Woods, qui rattachaient chaque devise au dollar lui-même défini en poids d'or. Ce système d'étalon dollar de fait tint jusqu'en 1971, quand le poids de la guerre au Viêt-Nam et l'inflation accélérée obligèrent Nixon à détacher le dollar de l'or. Depuis, les monnaies évoluent les unes par apport aux autres dans un flottement généralisé, et c'est une guerre des monnaies qui maintient un certain équilibre (en fait, un déséquilibre certain).
L'UE a ainsi voulu créer un havre de stabilité avec l'institution de l'euro monnaie unique. Mais une monnaie sans instance politique pour la gérer n'est

pas viable, et l'euro ne pouvait être que le faux-nez de la monnaie de la nation dominante, la plus compétitive, celle qui ferait la force de l'euro. La décision de localiser la BCE à Francfort indiquait déjà que l'eurozone serait une zone mark, qui, à l'instar du bloc or[10], capoterait inéluctablement sur le choc des intérêts nationaux lorsque les difficultés apparaîtraient[11]. Ce que l'histoire a vérifié et vérifiera de nouveau, car la mécanique du système d'étalon–or est implacable, dès l'instant que l'hypothèse de mise en convergence des structures productives par le « doux commerce » est fausse.

Historiquement, il y a toujours eu, au-delà des relations directes entre banques commerciales, une banque centrale nationale primus inter pares fournissant la monnaie pour les paiements internationaux et garantissant ainsi sa solidité : la Banque d'Angleterre au 19e, la Fed au 20e (les eurodollars), etc. (demain, au 21e, la Banque chinoise ?). À chaque fois, il y a un pays grande ou hyper puissance, un pays impérialiste dominant, qui tire profit du système des échanges et dont la banque centrale détient des réserves de change qu'elle peut prêter à qui a besoin de liquidités internationales. C'est l'intérêt national de ce pays leader de prendre en charge la gestion du SMI, et il le peut, d'autant que sa seule garantie est sa force, et c'est sa banque centrale qui fournit et gère la monnaie internationale.

---

10 - Créée en 1933 autour du franc, cette zone monétaire regroupait France, Belgique, Italie, Pays-Bas, Pologne, Suisse et Tchécoslovaquie. Les conséquences ultra-déflationnistes de la nécessité d'assurer la convertibilité de ces monnaies en or en temps de crise, surtout après la mise en flottement de la livre (1931) et du dollar 1933), ont contraint les pays à quitter l'un après l'autre la zone pour dévaluer leur monnaie, la France persistant jusqu'au Front populaire (dévaluation en sept. 1936).

---

11 - Un système de monnaie unique est comparable à un système de bloc-or, zone qui fonctionne sur les principes de l'étalon-or, dans la mesure où l'unicité de la monnaie équivaut, du point de vue de ses conséquences, en plus rigide, à la convertibilité en or à taux fixe des monnaies du bloc. Dans les deux cas, en effet, il y a obligation d'équilibre de la balance des paiements, sans quoi les pays les plus compétitifs doivent assurer les paiements des pays déficitaires. Cette solidarité n'est pas durablement tenable si l'extérieur de la zone se protège, par des méthodes telles que dévaluation, droits de douanes, quotas, etc., et fragilise ainsi ses leaders. La dévaluation de l'or étant impossible, l'alternative est alors, soit la rigueur et le risque de déflation, soit l'endettement, privé ou public. En limitant ce dernier, les critères de Maastricht avaient pour fonction d'éviter au pays fort (l'Allemagne) d'avoir à payer pour les autres, en les obligeant au choix de la rigueur. Mais la conjoncture des années 2000 ayant fait sortir des clous l'Allemagne et la France elles-mêmes, cela a libéré un endettement public qui s'est accéléré depuis 2008.

3. Le bouclage monétaire du circuit de l'économie : dette publique ou compétitivité internationale

La monnaie centrale assure donc la cohérence du système des paiements pour les acteurs de l'économie nationale, mais, tout aussi important et toujours passé sous silence, seule une injection de monnaie publique par la BC permet le bouclage monétaire du circuit de l'économie. Déjà, les banques prêtent pour gagner de l'argent, au moyen de remboursements augmentés de l'intérêt en tant que part du revenu de l'emprunteur qui leur revient aux rémunérations de leur service. Mais leur profit ne peut pas consister en monnaie créée par elles-mêmes ou leurs concurrentes. Au delà, plus globalement, le circuit de l'argent implique une injection de monnaie non bancaire privée correspondant au profit macroéconomique, le surplus de richesse créé en sus de celle qui est réservée au remplacement de l'équipement et à la reproduction des travailleurs.[12]

En effet, la formule A-M-A´ signifie que les capitalistes (les « hommes aux écus » de Marx) engagent une quantité A d'argent en faisant le pari qu'il leur reviendra une quantité A´ supérieure et que leur compte d'exploitation fera apparaître un surplus a = A´-A, qui est le profit macroéconomique sous sa forme monétaire. Si les capitalistes ne peuvent engager que l'argent qu'ils possèdent, leur activité est limitée par la nécessité d'en réserver une partie pour nourrir les salariés. Par contre, si les banques valident le pari des entrepreneurs en pariant elles-mêmes sur la capacité de l'économie à produire ce surplus, dont elles obtiendront une part, sous la forme de l'intérêt, l'échelle d'entreprise peut s'agrandir. Les moyens de production, c'est de la richesse accumulée, du patrimoine, la forme liquide est donc là aussi, accumulée de même, c'est l'épargne sous forme d'argent. Par contre, le travail n'est pas une richesse, mais un potentiel de richesse (le salaire ne paie pas le travail, mais la force de travail), et les banques avancent aux entreprises l'argent des salaires parce qu'elles anticipent que ce travail sera productif d'un surplus de richesse qui permettra de les rembourser avec intérêt. Les banques créent la monnaie, pas la richesse, même si elles y contribuent en anticipant. Par contre, elles ne peuvent créer la monnaie qu'en contrepartie

---

12 - Ils doivent reconstituer leur capacité de travail, ce qui inclut le salaire socialisé : chômage, santé, famille, retraites, etc.

d'une richesse nouvelle qui doit disparaître avec la destruction de la monnaie par le remboursement. Cette richesse nouvelle, produite par le travail (seul producteur), est celle que le travail consomme (Marx dirait les marchandises pour la reconstitution de la force de travail). Les banques créent la monnaie pour avancer les salaires.

D'où vient alors l'argent pour réaliser le profit (et l'intérêt) ? Parmi ceux qui ne veulent pas voir le problème de la socialité de la monnaie, les uns voudraient que les banques prêtent l'argent nécessaire, d'autres que les remboursements aux unes permettent, une fois remis en circulation, de rembourser les autres, etc., autant de solutions ad hoc ou purement tautologiques, résultant de l'impasse méthodologique d'une approche micro-économique de la question monétaire.

L'argent que l'on cherche, a, ne peut donc provenir que de la banque centrale, dont on a vu qu'elle crée de la monnaie nationale en contrepartie de créances sur l'État ou sur l'Extérieur. Ainsi, en remplissant sa fonction de banque centrale (homogénéiser les monnaies privées et assurer les paiements en devises), ladite banque assure dans le même temps la monétisation du profit. La nature sociale de l'argent apparaît de nouveau, sous un autre angle : le crédit à l'État est un pari sur la capacité dudit État à prélever l'impôt futur pour rembourser les prêts et payer les intérêts.

Les entreprises nationales (dont les banques) ne peuvent faire de profit qu'à la condition que la nation exporte ou parie sur son avenir. Dire qu'elle emprunte aux générations futures, c'est encore une fois nier la réalité sociale, c'est-à-dire nationale, de la monnaie, ramener la question monétaire à celle des « pères de famille » du moment. Le contribuable futur, ce ne sont pas les contribuables futurs, les individus, c'est la nation et si l'endettement présent permet de créer de la richesse future, la charge de la dette ne pèsera aucunement sur les individus. Globalement, donc, le bouclage monétaire du circuit implique une injection de monnaie extérieure aux banques. Dans le Livre II du *Capital*, Marx avait bien vu le problème, qu'il avait résolu par l'injection d'or dans le circuit monétaire, ce qui était naturel en son temps, le crédit n'ayant pas encore pris l'importance qu'on lui connaît depuis.

Il ne faut pas confondre le problème du surplus monétaire avec celui de Rosa Luxembourg, qui posait la nécessité de débouchés extérieurs : il s'agit ici de la disponibilité de la forme monnaie et non du seul problème de la demande. Les débouchés extérieurs sont suffisants, mais pas nécessaires : on peut concevoir, à l'abri de la protection commerciale, des débouchés purement internes, mais c'est une alternative qui implique la dette tant que la protection n'a pas restauré la compétitivité, pour exporter.

Autrement dit, dans une économie incapable d'exporter sa production (et/ou d'importer des capitaux), les entreprises ne peuvent réaliser monétairement leur profit sans dette publique. Inversement, un pays qui refuse la dette publique est contraint à faire des efforts de compétitivité pour dégager un excédent de la balance des paiements, que ce soit en matière industrielle, commerciale ou financière.[13]

C'est-à-dire que dans une économie non compétitive, les profits sont possibles parce que la nation accepte un endettement public : comme pour les retraites, le problème est bien celui du contribuable futur, pris non pas comme somme d'individus (les générations futures), mais comme la société/la nation future. Et il apparaît clairement que si la dette maintenant permet une capacité contributive plus importante pus tard, permettant de rembourser avec intérêts, alors la dette est bonne pour l'économie. En revanche, si elle ne sert qu'à enrichir le rentier, elle est socialement néfaste.

D'ailleurs, l'orthodoxie financière, en vigueur pour les collectivités locales, autorise que les dépenses d'investissement, créatrices de richesses, soient financées à crédit, tandis qu'elle l'interdit pour les dépenses de fonctionnement, purement destructrices.

Le refuser la dette publique oblige donc à la compétitivité : la solution conservatrice est l'abaissement du coût salarial, c'est-à-dire une politique d'austérité (de rigueur, dira le conservateur), telle la stratégie de désinflation compétitive adoptée dans les années 80. Tel pays peut avoir une faible part de la dépense publique et donc du social dans son PIB et accepter l'endettement, par exemple les États-Unis, tel autre au contraire, beaucoup plus redistributif, peut gérer quasiment à l'équilibre des masses budgétaires importantes, et c'est le cas des pays scandinaves. Mais, dans tous les cas, si la compétitivité fléchit, il faut, soit accepter plus de dette, soit renoncer au social, à la redistribution, à la solidarité, bref, à la république.

---

[13] - Pour plus d'explications, voir [4], [5] et [6].

4. La politique de la monnaie

Le système des paiements ne peut donc fonctionner sans la conduite-surveillance d'une autorité reconnue par ceux qui utilisent la monnaie, ce qui implique une instance politique. L'État a donc la responsabilité ultime de la politique monétaire, dont il délègue l'exécution à la banque centrale, même si elle est dite indépendante : dans les situations critiques, c'est toujours les politiques qui ont le dernier mot, comme lorsque Kohl impose à la Buba de changer un mark ouest contre un mark est (à concurrence de 4000), et non contre dix, ainsi que l'aurait souhaité la banque. La banque centrale a donc deux grandes fonctions : l'une structurelle, d'organisation du système des paiements interbancaires, de surveillance des bilans et de secours en cas de crise, en s'assurant que les banques ont des fonds propres suffisants, *via* des ratios de solvabilité ou des taux de réserves obligatoires ; l'autre, conjoncturelle, de soutien ou freinage de l'activité *via* le réglage de la quantité de monnaie et du coût du crédit. Ces grandes fonctions sont menées selon la doctrine monétaire en vigueur dans les sphères du pouvoir monétaire.

a- monnaie et économie réelle

La tradition orthodoxe des autorités est celle de la monnaie neutre, défendue, hier par les économistes classiques, aujourd'hui par les libéraux de la science économique, qui voit dans la monnaie un simple instrument des échanges (la « grande roue de la circulation », disait Smith), un véhicule neutre par rapport à ce qu'il transporte, les choix des agents sur les grandeurs réelles. On doit selon eux distinguer l'économie réelle, que les mécanismes du marché conduisent à l'optimum, et le voile monétaire qui la recouvre. Longtemps la science économique a voulu construire une théorie du mécanisme de marché dans laquelle la monnaie serait neutre. Elle n'y est pas parvenue, reconnaissant plus pragmatiquement avec Friedman que « la monnaie compte », qu'elle pollue le calcul économique des agents et génère des dysfonctionnements de l'économie réelle, qu'il convient donc de la neutraliser, puisqu'elle ne l'est pas, mais qu'elle devrait l'être.

• Dans cette ligne, l'attitude des autorités monétaires doit être passive, elles doivent seulement veiller à ce que le système bancaire n'émette pas de

« fausse monnaie », selon l'expression de Rueff, c'est-à-dire de la monnaie sans réel pouvoir d'achat, ce qui fausserait les mécanismes de marché : les prix nominaux, expression monétaire des rapports d'échange seraient faux et les agents, victimes de l'illusion monétaire, feraient des mauvais choix. Notamment, une émission de monnaie en quantité excessive par rapport aux besoins réels en ferait de la « monnaie de singe », car, ayant pour effet une hausse généralisée des prix, l'inflation, elle rongerait le patrimoine à la manière d'une taxe cachée, ruinant l'épargnant à l'avantage de l'emprunteur. À cette fin, deux grands systèmes de garantie de la qualité de la monnaie se sont affrontés depuis déjà le 16e s. au moins, quand Jean Bodin attribua la hausse générale des prix à l'afflux d'or espagnol, tandis que Malestroict en rendait responsables les manipulations monétaires du roi.

Dans la tradition quantitativiste, le critère de bonne gestion est celui du respect des règles quantitatives d'émission : ainsi la règle de couverture à 100 % des billets émis par des réserves d'or ou d'argent (la vraie monnaie) de la *Currency School* de Ricardo est devenue la règle de croissance de la masse monétaire au même rythme que le PIB, édictée par le monétarisme de Friedman. Certains, plus fondamentalistes, veulent que la création bancaire soit couverte à 100 % par des devises. On comprend comment on restreint ainsi encore plus radicalement le financement public, avec les coûts sociaux que cela implique, et c'est la règle appliquée par le FMI dans le cadre d'un *Currency Board*, pour rétablir une économie en hyperinflation (Bulgarie à la fin des années 90, par exemple, etc.).

La *Banking School*, à la suite de Tooke, misait plutôt sur la règle de convertibilité, selon laquelle la capacité des banques à changer à la demande la monnaie de papier en « vraie monnaie », or ou argent, était le gage d'une bonne monnaie. Ce fut le « point de vue du Trésor », que combattit Keynes dans les années 20, ce fut l' « orthodoxie financière » de la Banque de France à la même époque (avec pas mal de coups de canif[14] tout de même !) et de Rueff qui conseilla à de Gaulle de demander aux États-Unis de convertir en or les dollars vacillants que la Banque de France détenait.

---

14 - La Banque de France truqua ses comptes, dans les années 20, telle une vulgaire Grèce moderne… Pour plus de développements sur ce point a-, voir [7], « Introduction générale » et chapitres 2 et 3.

L'orthodoxie monétaire est moins assurée concernant le système monétaire international, car à ce niveau, il n'y a pas d'autorité politique, uniquement des rapports de forces (cf. la réponse négative des américains à la requête française). Elle régna aussi longtemps que l'or fut la référence, du système de l'étalon or jusqu'à celui de Bretton Woods. Aujourd'hui, sans référence réelle stable comme pouvait l'être l'or monnaie internationale, la qualité d'une monnaie s'auto-régule, en principe, sur le marché des changes : une dépréciation de la monnaie nationale traduit une compétitivité extérieure insuffisante et résulte en une hausse du prix des importations, une baisse du prix des exportations et un rétablissement final de l'équilibre des paiements extérieurs. La contrainte est alors celle du pouvoir d'achat interne, qui pousse à des efforts de compétitivité pour préserver les termes de l'échange (il n'est pas bon pour un pays d'acheter cher et vendre bon marché, cela exporte de la richesse).

En réalité, la totale liberté de mouvement des capitaux, sensée rendre l'ensemble des marchés efficients, a autonomisé la finance par rapport à l'économie réelle, allant même à l'encontre de son développement, car les critères de gestion financière (rentière) visent le court terme et freinent l'accumulation réelle, qui demande du temps. Ce sera l'origine du ralentissement de la croissance et de la montée d'un chômage structurel depuis les années 80, jusqu'à la crise financière terminale d'aujourd'hui.

• Les partisans d'une politique active de la monnaie accusent l'orthodoxie financière d'être responsable, par son souci de la neutralité monétaire, du marasme économique, du chômage et de la misère. Il n'y a pas de doctrine unifiée de la monnaie active, mais, de Proudhon à Silvio Gesell, puis Duboin et bien d'autres, toute la « brave armée des hérétiques », que Keynes célébra, s'accorde sur ce que doit être le point de départ adéquat de toute réflexion réaliste : la monnaie peut et doit être un instrument d'action positive sur l'état de l'économie.

Au-delà des différences d'analyse et des très fortes oppositions politiques ou sociales qui affaiblissent l'hétérodoxie, l'idée générale est que les problèmes économiques et sociaux trouvent leur racine dans l'organisation monétaire et que l'on doit la réformer pour résorber lesdits problèmes. Déjà les mercantilistes mettaient l'abondance monétaire comme objectif final d'une politique d'excédent commercial, parce que, selon eux, une monnaie abondante favorisait le pouvoir du prince, *via* le bien-être du peuple.

Dans l'entre-deux-guerres, Keynes s'époumona à réclamer l'abandon de la référence à l'or (« cette relique barbare ») afin de libérer la création monétaire, faire baisser le coût du crédit et favoriser l'investissement porteur d'emploi. De même, pendant la seconde guerre mondiale, Keynes s'inspira du projet de statuts de la BRI rédigé par Schacht, pour concevoir son Plan pour Bretton Woods : il s'agissait de fournir aux pays en difficulté, de la liquidité internationale neutre (le bancor), afin de les soustraire à la contrainte d'austérité due à la quête d'or, pendant le temps nécessaire à la restauration de leur compétitivité (le coût de l'ajustement devait être partagé entre forts et faibles).

Keynes était lui-même bien conscient des limites d'une politique monétaire active, la psychologie du rentier fuyant le risque de l'inflation ayant toutes chances de la contrer en refusant de suivre. Il faudrait donc l'euthanasier, par des droits de succession et quelques nationalisations si nécessaire. Quant au projet de bancor, la négociation avec les américains mit en évidence le caractère utopique de cette idée, qui repose sur l'hypothèse d'un État bienveillant, au-dessus de la mêlée, et qu'il suffit de gagner la bataille idéologique pour changer le cours des choses et lui donner un tour rationnel. Utopique, parce que séparant la question monétaire de la question du capitalisme, réduit au marché, ce qui a pour conséquence d'exonérer le capitalisme de toute responsabilité structurelle, une simple réforme monétaire étant à même de régler les problèmes. Cependant, il ne faut pas jeter le bébé avec l'eau du bain, et une contestation radicale de la politique monétaire, qui est le cœur de la gestion de l'argent, et donc du capitalisme, peut constituer un point de départ réaliste pour mettre en doute un mode de fonctionnement qui conduit dans le mur et proposer une alternative véritable. Quand les États seront aux mains de la nation entière, pas seulement de la classe possédante, des relations supra-nationales non conflictuelles seront possibles (voir *infra*, chap. 4).

b- organisation, surveillance et secours

Comme toute entreprise, privée ou publique, une banque doit assurer sa pérennité par une gestion rigoureuse, mais il peut arriver qu'ayant pris des risques inconsidérés, elle se trouve en situation d'illiquidité, voire d'insolvabilité. C'est fréquent lorsque, par exemple, en position de faiblesse par rapport à la concurrence, la banque cherche à se rétablir en fuyant dans la spéculation. En difficulté, elle peut alors faire appel à une fonction « naturelle » de la banque centrale, celle de prêteur en dernier ressort (PDR). La BC, en effet, peut toujours décider de renflouer une banque illiquide en « faisant marcher la planche à billets » en attendant que la banque retrouve des couleurs. Tout au long du 19e s., les banques ont régulièrement fait appel au PDR et c'est redevenu pratique courante depuis 2007. Une pratique cependant plus que prudente et limitée aux cas extrêmes pour deux grandes raisons : d'une part, il y a le risque inflationniste, du moins dans l'esprit des autorités monétaires ; d'autre part, il y a l' « aléa moral » : les banques ne vont-elles pas prendre des risques inconsidérés sachant que la banque centrale est là pour les sauver ?

Le principe fondateur du PDR est donc de sauver, mais aussi de punir, toute la difficulté étant de faire la balance exacte : punir trop rudement ne risque-t-il pas de mettre en péril tout le système bancaire ? On l'a vu en 2008 quand la Fed et le gouvernement US ont décidé de laisser tomber Lehman Brothers, pensant que ce ne serait pas très contagieux, et qu'il a fallu des centaines de mds de $ pour sauver le reste. *Last but not least*, une banque peut être insolvable, dès lors la recapitalisation s'impose, surtout si elle est « *too big to fail* », et l'on verra, chose inimaginable jusque-là, mais nécessité fait loi, des gouvernements libéraux nationaliser des banques ! Dans ce cas, ce n'est plus, à proprement parler, de PDR qu'il s'agit, mais d'IDR (investisseur en dernier ressort).

Dès lors, encore une fois, et comme en toute chose, mieux vaut prévenir que guérir. C'est la raison des procédures de surveillance pour s'assurer d'une structure de bilan solide : par des ratios de solvabilité, ou par des règles plus globales de fonctionnement, telles le cloisonnement des différentes activités, de dépôt (gestion des paiements) ou d'affaires (gestion de l'argent).

Gestion des dépôts et investissement financier sont par nature deux activités liées, puisque l'argent circule sous la forme de monnaie, et les banques les

ont historiquement mêlées. Jusqu'à ce que leurs excès conduisent à les séparer, par la pensée et dans l'organisation du système bancaire : ainsi, aux
États-Unis, la Loi bancaire de 1933, plus connue sous le nom de Glass-Steagall
Act, posa l'interdiction aux banques de dépôts de procéder à des opérations
financières (et inversement, aux banques d'investissement de recevoir des
dépôts) ; de même, à la Libération, en France, on sépara banques de dépôts
(nationalisées) et banques d'affaires. La séparation fut progressivement abro-
gée, de fait d'abord, puis juridiquement, par la déréglementation financière
des années 70 et suivantes.

Le mélange des genres est dangereux, lorsque par exemple une banque reçoit
beaucoup de dépôts, donc présente un passif à court terme et au contraire
prête à long terme, en achetant des obligations à 5 ou 10 ans, etc., avec donc
un actif largement composé de créances longues. Dans les années 70, on a
accusé ce phénomène, dit « de la transformation » (de capitaux courts en capitaux longs), d'être à l'origine de la plupart des maux de ces années : le
faible coût des fonds permettait des prêts à taux inférieurs à ce que la raison
(économique) aurait commandé, ce qui faussait le calcul de rentabilité et
permettait de financer des investissements économiquement irrationnels,
conduisant finalement au surinvestissement, à l'inflation et au chômage, etc.,
bref, l'épargne était mal aiguillée et l'entreprise inefficace. La « transformation » n'est pas mauvaise en soi, mais utilisée pour tourner la chute des rendements, elle alimente des circuits purement financiers où gonflent des bulles
sans lien avec la création de richesse. C'est le cas des innovations financières
« modernes » autour de l'effet de levier.

La gestion des affaires monétaires est donc au cœur de la question sociale.
Mais elle naviguera toujours entre deux écueils : d'un côté, la dette publique
avec le couple infernal dévaluation-inflation, qui euthanasie le rentier ; de
l'autre, la compétitivité, avec l'austérité salariale, qui euthanasie la classe
moyenne. Dans les deux cas, le vaisseau est mal barré, comme l'a montré
l'histoire de l'après-guerre.

Chapitre 2
Le néo-libéralisme
contre la république

Le capitalisme est fondé sur la monnaie, mais sa logique de fonctionnement et de développement, c'est « de l'argent qui fait de l'argent », et la gestion de la monnaie doit accompagner ce processus. Cependant, l'ajout de richesse peut reposer sur du travail productif de richesse réelle (matérielle), c'est ainsi que s'enrichit le capital actif (le couple capital industriel et capital commercial), ou sur du travail de captation de richesse produite par ailleurs, et c'est ainsi que fonctionne le capital financier (inactif). La politique économique en général, et la politique monétaire en particulier, n'ont pas les mêmes impératifs et ne subissentt pas les mêmes contraintes selon la situation. Dans un cas, l'argent correspond à de la richesse réelle, dans l'autre seul l'enrichissement est réel, l'argent accumulé étant purement fictif, pur droit sur l'ajout d'argent réel.

Le salaire est d'abord un coût pour l'entreprise individuelle, mais c'est aussi un débouché pour les entreprises prises dans leur ensemble, et chacune doit composer avec son intérêt particulier, des bas salaires pour être compétitive, et son intérêt général, des hauts salaires pour avoir des débouchés. C'est le rôle de l'État de définir le cadre du compromis, et la politique monétaire y prend évidemment une grande part, au moins permissive.

L'éventail doctrinal de l'intervention de l'État est ouvert, mais oppose généralement l'économique et le social, c'est-à-dire le marché et le politique : du côté « socialiste », favorable à la redistribution, on peut considérer que faire du social favorise le dynamisme économique (en ouvrant des débouchés, par exemple, et un marché intérieur solide base de la conquête des marchés extérieurs) ; du côté des purs libéraux, toute redistribution est *in fine* perdante, en désincitant à l'effort individuel ; entre les deux, on considérera que l'on ne peut redistribuer que ce que l'on a d'abord produit. Mais quelle que soit la position des uns ou des autres, il reste la réalité de l'État et de sa politique économique et sociale.

L'État intervient toujours, quelle que soit la doctrine de son action, ne serait-ce que par sa simple existence. Quand on parle de recul de l'État, par exemple, c'est simplement que la réduction de son périmètre d'action aux fonctions régaliennes (police, justice, défense, qui ne sont jamais mises en cause) sert les desseins de ceux qui tiennent l'État. Par exemple, le capitalisme financiarisé ne perçoit le salaire que comme un coût et ne supporte pas les hausses des coûts salariaux, surtout *via* la socialisation des salaires, et la diminution de l'État n'est autre qu'une politique de réduction du coût salarial, c'est-à-dire la politique des intérêts du capital financier, du rentier. De même, la forte socialisation des revenus, par transferts sociaux, pour notamment financer collectivement l'éducation ou la santé, sert les intérêts du capital actif (industriel ou commercial), pour qui le salaire est certes un coût, mais aussi un débouché. Une telle configuration peut correspondre à une avancée républicaine.

Le mode d'encastrement de l'État varie selon l'histoire du pays et les normes techniques de production du moment, mais il est toujours un panaché de contraintes sur le mécanisme de marché et de normes de redistribution. À un extrême, ce peut être, à l'exemple de l'économie mixte française des premières « trente glorieuses », un dirigisme du marché, par le contrôle des prix, des embauches et des licenciements, des fusions d'entreprises, etc., allié à une action sociale contraignante (sécurité sociale obligatoire, etc.). À l'autre extrême, ce sera une liberté maximale à tous les niveaux, de type Thatcher-Reagan, les services publics réduits au minimum, la couverture sociale essentiellement par assurance privée, les retraites par capitalisation, etc. Parmi les combinaisons intermédiaires, on peut trouver une grande liberté du marché associée à une socialisation importante du revenu, à l'exemple de la social-démocratie « moderne », qui dit « oui à l'économie de marché, non à la société de marché ». Le dirigisme sera généralement associé à une planification plus ou moins indicative donnant une direction à la stratégie nationale de moyen terme en matière industrielle, agricole, etc.

Les trente glorieuses ont correspondu à une combinaison de marché plus ou moins contraint et de redistribution croissante, le tout mis en cohérence à l'aide d'outils de pilotage macro-économique définis dans le cadre de pensée keynesianiste. La mise en échec, dès la fin des années 60, de cette configuration par l'impuissance croissante de l'inflation à se substituer au chômage (c'est la stagflation) a mis fin à l'avancée républicaine en installant progressivement une configuration néo-libérale : marché libre et redistribution minimale pour une économie ouverte et compétitive. L'inflation sera maîtrisée, mais au prix d'un endettement non soutenable, qui mettra à son tour en échec la stratégie néo-libérale.

1. L'avortement de la république
« keynésianiste »
(d'un keynésianisme inabouti)

Selon Keynes, un pays qui a des problèmes de compétitivité peut toujours se tirer d'affaire en baissant les salaires, mais, ajoutait-il, il en résulterait chômage et misère, avec le gros risque de jeter les salariés dans les bras des bolcheviks, et c'en serait fini de la société de liberté individuelle[15]. Il y a plus intelligent à faire, prétendait-il, et d'abord assurer le plein emploi, par l'intervention publique, *via* principalement la monnaie, pour favoriser l'investissement.

Dans le prolongement de la contestation générale du libéralisme qui a suivi la première guerre mondiale, tant keynésienne que socialiste-planiste ou simplement dirigiste ou encore abondanciste, les circonstances de l'après-deuxième guerre mondiale ont favorisé l'émergence de projets allant dans ce sens. En France, la disqualification des élites anciennes (tant la classe politique que le patronat) ouvre la voie à la mise en place du programme du CNR ; en Allemagne, les Alliés, vainqueurs occupants, installent aux commandes le chancelier Erhard qui installera le « modèle rhénan » avec l'aide des chrétiens sociaux ; aux États-Unis, même le droitier Eisenhower, successeur du démocrate Truman, se proclame keynésien et étend l'assurance-maladie.

Les années 45-65, que la très médiatique expression « 30 glorieuses » prolonge jusqu'en 1975, seront des années d'expansion continue, de prix rela-

---

15 - Voir par exemple Les cris de *Cassandre*, recueil d'articles des années 20, où il fustige le retour à l'étalon-or et au laisse-faire, les illusions conservatrices de la baisse des salaires, et insiste sur la nécessité de l'intervention de l'État par une fiscalité redistributrice afin de dynamiser l'économie. (Références dans [7].)

tivement stables sur la longue durée et de quasi plein emploi. L'école de la régulation qualifia de « fordiste » ce régime de fonctionnement du capitalisme, en référence au mythique « *five dollars day* » d'H. Ford, qui aurait augmenté les salaires de ses ouvriers pour qu'ils puissent acquérir ses voitures, alors qu'en réalité nul ne voulait aller travailler sur ses chaînes de montage.

La croissance économique et le progrès social allant de pair, la période intégrait le travail au capital, dans un consensus/partenariat salariat-capital industriel géré par l'État et que l'on pouvait considérer comme une ébauche de ce que pourrait être une république sociale « de marché », une fois gagnée la « guerre froide » contre l'URSS.

a- les « 30 glorieuses » keynésiennes, esquisse d'une république sociale

En France, après la Libération, le pouvoir politique met en œuvre un programme dans la droite ligne de celui qu'avait proposé le CNR en mars 44, mais qui traduit les dissensions entre ennemis du marché libre — les planificateurs du PCF et de la SFIO et les « planistes » du groupe X-crise d'avant-guerre passés par Vichy) —, et les partisans d'une libéralisation de l'économie, principalement les chrétiens sociaux et les radicaux du futur MRP, qui veulent cependant en finir avec la dictature de l'argent. Par contre, l'accord est large sur la nécessité de réformes sociales. Et le compromis établi dans ces années 44-47 aboutit à des décisions importantes pour la suite, les unes en rupture — nationalisations, interdiction des concentrations, etc. —, d'autres dans le prolongement du passé : planification et protection sociale.

Dans le domaine économique, le CNR réclamait « l'instauration d'une véritable démocratie économique et sociale, impliquant l'éviction des grandes féodalités économiques et financières de la direction de l'économie ». Tel fut le sens des nationalisations, pas aussi larges que l'auraient souhaité leurs promoteurs, mais importantes tout de même : dans le domaine financier, la Banque de France et les grandes banques de dépôt, les banques d'affaires ayant des défenseurs trop acharnés, mais aussi les grandes sociétés d'assurance ; dans le domaine industriel, Renault, bien sûr, purement et simplement confisqué, ainsi que Gnome et Rhône (qui devient SNECMA), gaz et électricité (création d'EDF et GDF), combustibles minéraux et houillères (Charbonnages de France), etc. Ce fut aussi le sens des lois d'interdiction des concentrations pour une presse libre et indépendante, contre les « coalitions d'intérêts » (de Gaulle), etc.

La démocratie économique devait consister en la participation des travailleurs à la direction de l'entreprise et de l'économie, ce qui se traduira, dans les faits, par la gestion bipartite des entreprises nationalisées par des représentants des travailleurs et des représentants de l'intérêt général, et par la création de comités d'entreprise pour les autres. Le CNR prévoyait par ailleurs « une organisation rationnelle de l'économie qui subordonne les intérêts privés à l'intérêt général », ainsi qu'« un plan arrêté par l'État après consultation des représentants des participants à la production ». Ce fut fait avec le Commissariat général au plan, chargé de la programmation à moyen terme, « réducteur d'incertitude » « contre la dictature de l'instant » selon les formules de Pierre Massé.

Quant à la dimension sociale, le CNR voulait, outre « un plan complet de sécurité sociale, visant à assurer à tous les citoyens des moyens d'existence, dans tous les cas où ils sont incapables de se le procurer par le travail, avec gestion appartenant aux représentants des intéressés et de l'État », des mesures de garantie de revenu pour la dignité et la sécurité de vie des salariés, etc. La stabilité monétaire comme garante d'un pouvoir d'achat national suffisant allait dans le même sens. Il convenait aussi de rétablir un syndicalisme indépendant. Les différents partis en étant d'avis, l'essentiel de ces réformes sociales fut réalisé : retraites (par répartition), sécurité sociale, mais aussi contrôle des embauches et des licenciements, c'est-à-dire maîtrise du marché du travail en sus de la maîtrise de la monnaie.

Cette dernière ayant permis d'orienter le crédit vers les importants investissements d'infrastructure nécessaires pour la reconstruction et le développement ultérieur, les gains de productivité dans l'industrie et les gains de pouvoir d'achat permirent l'émergence d'un modèle de fonctionnement appelé fordisme

• Dans l'ensemble du monde développé, en Occident ou en Asie (Japon, Corée), le même modèle global de croissance s'installa, même si l'histoire particulière de chaque pays donna à chaque fordisme un faciès propre. On oppose ainsi le capitalisme rhénan (ou continental), plus ou moins coordonné (cogéré en Allemagne, étatiste en France), au capitalisme anglo-saxon, plus libéral. Ce dernier refusait toute idée de plan à moyen terme, mais sur le continent, où le plan avait cours, il n'était qu'indicatif. Dans tous les cas, il fallait une gestion étatique courante de la mise en cohérence des plans individuels et de leur orientation dans le sens de l'intérêt général, et elle fut menée sous l'égide du keynésianisme standard, dit « de la synthèse » et résumé par le modèle dit IS-LM.

Élaborée par des économistes néo-classiques échaudés par les crises récurrentes du capitalisme libéral et par suite à la recherche d'un interventionnisme étatique alternatif à la planification communiste, cette approche keynésianiste reposait certes sur l'idée basique de Keynes selon laquelle la demande conditionne l'activité et donc l'emploi, mais elle réduisait son analyse macro-économique à une mécanique rationnelle de type hydraulique. La régulation de l'économie était affaire de robinets plus ou moins ouverts : celui de la monnaie déterminait le taux de l'intérêt, dont la baisse incitait les entreprises à investir ; celui de la dépense publique (achats publics et transferts sociaux) ajoutait des débouchés à ceux qui résultent de la demande des consommateurs.

Les modèles macro-économétriques keynésiens calculaient le réglage fin (*fine tuning*) des variables de commande de l'activité que sont la quantité de monnaie et la dépense publique, pour injecter dans le circuit de l'économie, la bonne dose de dépense publique à crédit, accompagnée de la bonne quantité de monnaie, pour avoir le bon taux de l'intérêt, ce qui réglait à volonté le niveau de la demande. En principe, un déficit public n'avait pas de conséquence négative, puisque le gain de richesse dégageait l'épargne nécessaire pour financer l'emprunt de l'État. Quant à l'inflation qui surviendrait, la théorie de la « courbe de Phillips », selon laquelle l'inflation est le prix de l'emploi, précisait les conditions de l'arbitrage inflation-chômage : quel taux de chômage accepter pour contenir la hausse des prix, ou inversement. L'État pouvait ainsi gérer le compromis inflation-chômage dans des conditions acceptables par les différentes parties prenantes à l'affaire (salariés, industriels, rentiers). Dans les cas extrêmes, il pouvait compléter cette panoplie d'instruments d'intervention par le contrôle des prix et des revenus (blocage, fixation administrative, etc.), sachant, de plus, que la fiscalité, intervention structurelle, pouvait avoir des effets de soutien de l'activité, si l'impôt transférait du pouvoir d'achat des riches, qui épargnent, vers les pauvres, qui consomment.

Le soutien de la demande devait donc conduire vers le quasi plein emploi permanent. Mais la hausse de l'activité produit des goulots d'étranglement à tous les niveaux (main-d'œuvre, matières premières, etc.) et la concurrence entre entreprises pour accéder aux moyens de production tend les salaires et les coûts, poussant à une lente mais régulière hausse des prix. Pour Keynes, l'inflation de sous-emploi est le prix de la marche vers le plein emploi. Mais l'inflation pénalise les revenus fixes. Les salariés obtiennent des garanties de salaire ou de pouvoir d'achat, d'abord par la création du SMIG dès 1950 et son indexation sur les prix, puis par son remplacement par le SMIC en 1970. Les rentiers, quant à eux, sont lentement euthanasiés, ce qui entraîne des difficultés politiques.

Le pouvoir politique devait donc naviguer entre l'écueil du chômage, qui poussait les salariés à écouter les sirènes collectivistes, et celui de l'inflation, qui le coupait de sa base « naturelle », les agents du marché (rentiers, patrons, banquiers, etc.). La conséquence en fut l'alternance de périodes de primauté à l'emploi, avec une économie en « surchauffe » et accélération de l'inflation, et de périodes de « refroidissement », la stabilité des prix étant payée de la hausse du nombre de chômeurs.

Ainsi, en permettant de gérer le marché au moyen du dosage fin des outils de politique conjoncturelle, le « *policy mix* » keynésianiste prenait simplement acte de l'acceptation politique de la rigidité du marché du travail qui empêchait le recours à la traditionnelle solution conservatrice, la baisse salvatrice des salaires, et en tirait les conséquences en définissant une configuration adaptée à la situation politique, du lien de la politique monétaire à la politique fiscale. Le social apparaissait comme une condition de la santé économique et le travail n'étant plus simplement un coût, il trouvait sa place dans la marche du capitalisme, les gains de productivité lui étant redistribués par la politique sociale.

Telle fut l'ébauche de cette « république nouvelle, démocratie unissant élus du peuple et action globale » rêvée par le CNR : régulation souple du « marché du travail » d'une part, socialisation approfondie du salaire, d'autre part, par la généralisation des « acquis sociaux » du Front populaire (droit au repos, congés payés, assurances sociales, conventions collectives), la création des comités d'entreprise, la généralisation de la médecine du travail, etc.

Mais ce ne fut qu'une ébauche, car le keynésianisme devait affronter « trois dangers », que Keynes lui-même avait désignés : l'inflation, le déficit des paiements et la dette publique. Faute d'avoir été aussi radicale que l'eût voulu le CNR, la république keynésianiste buta sur l'inflation. Les idées néo-libérales longtemps tenues sous le boisseau par un air du temps contraire purent alors s'exprimer de nouveau, tandis que des réformes de structure commençaient d'aller dans le sens de la libération des forces du marché.

b- de la crise du fordisme au tournant néo-libéral : vers la « vérité des prix »

La belle mécanique « fordiste » s'est détraquée, dès le milieu des années 60, avec la montée concomitante du chômage et de l'inflation, que l'État n'arrivait plus à contenir. C'est qu'en réalité, la maîtrise keynésianiste du cours de l'économie de marché n'était qu'illusion, les germes de la crise étaient toujours vivaces sous l'apparence.

En effet, l'intervention publique ne pouvait pas régler la question de la tendance à la baisse du taux de profit, dont on sait depuis Marx qu'elle est la conséquence de la substitution du capital au travail et la cause profonde de la concurrence dans la course au profit. Le formidable progrès de la productivité, grâce au développement du travail à la chaîne et des nouvelles techniques de gestion issues de la guerre, permit des taux de croissance élevés et facilita le partage de la richesse produite entre les parties prenantes. Mais ce progrès passait par l'alourdissement continu du procès de travail, c'est-à-dire toujours plus d'équipement, afin de pallier la contestation du travail en miettes et les salaires « rigides à la baisse », comme disaient les économistes. À un moment, les entreprises ne purent plus dégager une profitabilité satisfaisante pour rémunérer le capital, propre ou prêté. La rentabilité économique chute quand les gains de productivité cessent de croître.

La solution première pour restaurer le taux de profit, dans la configuration fordiste, c'est, si les conditions le permettent, l'inflation, c'est-à-dire une augmentation des prix. Il faut pour cela que les entreprises anticipent que les banques valideront ce pari et créeront la monnaie nécessaire, ce qu'elles font volontiers quand elles parient elles-mêmes que les hausses de prix ne fermeront pas les débouchés, internes ou externes, et qu'elles recevront les intérêts dus. Les débouchés internes posent la question des salaires, résolue par leur indexation sur les prix, même s'ils ont toujours un temps de retard dans la course. Les débouchés externes dépendent fondamentalement du dynamisme de l'économie mondiale, mais aussi de la compétitivité des entreprises du pays.

La compétitivité-prix renvoie au niveau des prix internes, traduits à l'exportation par le taux de change ; la dévaluation de la monnaie nationale est un moyen de la soutenir, mais cela risque fort d'importer de l'inflation (si les partenaires font comme nous) et enclencher la spirale prix-salaires-inflation-dévaluation-etc. Cependant, la compétitivité peut ne pas résulter des prix, mais de la qualité des produits : quand le développement du commerce international a généré une division internationale du travail, une spécialisation heureuse dans des secteurs porteurs permet de vendre cher, les termes de l'échange sont favorables, et enrichit le pays. C'est par exemple, le cas de l'Allemagne aujourd'hui, qui vend ses machines-outils malgré un euro fort. Cependant, les transferts de technologie mettent plus ou moins rapidement fin à ces rentes de situation, selon la rapidité d'adaptation des concurrents, qui dépend du niveau des salaires et du degré de technologie : ainsi les Verts allemands avaient obtenu le développement d'une filière solaire et quand les autres pays ont amorcé le virage de l'énergie durable, l'Allemagne a vu s'ouvrir des débouchés énormes, même si la Chine a pu rapidement prendre le relais.

Cependant, il faut encore que la banque centrale valide cette fuite en avant, en refinançant les banques commerciales à un coût non prohibitif. Elle opinera à la demande si l'instance politique, à laquelle elle est soumise[16], estime que le risque de basculement des salariés/de la classe ouvrière dans le camp du refus du marché et de la démocratie est trop grand. Le niveau de bien-être, dont celui de la consommation, était un argument important dans la guerre idéologique.

Une deuxième voie de préservation des profits fut la multinationalisation des grandes entreprises : pour contourner les protections nationales, principalement des droits de douane, mais aussi des normes techniques, ces firmes ont créé des filiales à l'étranger. Elles ont ainsi pu conquérir des marchés et bénéficier, soit d'économies d'échelle, soit de l'accès à moindre coût aux matières premières, soit encore d'opportunités d'optimisation fiscale, etc.

Pour lutter contre l'inflation, le gouvernement français, résolut dès la fin des années 50, de réfléchir à une libération des forces du marché, pour aller vers la « vérité des prix ». La première étape fut la mise en oeuvre du plan Rueff-Armand de 1958, qui préconisait à cet effet le retour à l'équilibre budgétaire et l'ouverture commerciale du pays, la mise en concurrence des producteurs nationaux devant les dynamiser en les obligeant à innover. (La baisse des tarifs douaniers fut progressive dans le cadre des négociations du GATT et totale dès 58 dans le cadre de la CEE.).

Parallèlement, il y eut dans la deuxième moitié des années 60, sous le ministère Debré, un début de déréglementation du système bancaire, dont les rigidités étaient accusées de générer des taux d'intérêt élevés là où les besoins étaient importants tandis qu'il y avait des fonds disponibles ailleurs, à l'origine ainsi d'inflation et d'importantes pertes d'efficacité. Étaient en cause, la spécialisation des institutions financières, qui sépare gestion de dépôts et intermédiation d'affaires, et le cloisonnement du marché, qui ferme, par exemple, le marché monétaire aux investisseurs institutionnels et aux entreprises, ou qui réserve les crédits bonifiés à certaines banques, avec des secteurs en pénurie d'épargne et d'autres excédentaires, etc. La réforme visait l'abolissement de ces rigidités et, *via* l'interdiction de rémunérer les DAV, la libération des

---

16 - En Allemagne, la banque centrale était déjà indépendante du pouvoir politique, mais les performances du pays à l'exportation faisaient entrer des devises dont la monétisation automatique (hors politique de stérilisation des réserves) fournissait la monnaie en abondance.

placements, à vue ou à terme. Cet ensemble de réformes tendait à faire rémunérer l'épargne au prix du marché, ce qui est supposé, dans l'optique libérale, l'orienter optimalement : payée le vrai prix par ceux qui en ont le vrai besoin, elle devrait globalement coûter moins à l'industrie et au commerce, les dynamiser et favoriser la croissance économique.

Cette réforme marque aussi le retour du pouvoir monétaire à une Banque de France discréditée à la Libération et qui avait laissé la primauté au Trésor public, véritable pilote des années de reconstruction et qui dut quitter le devant de la scène.

c – le tournant néo-libéral

En apparence, l'État commence donc de laisser la main et le pouvoir passe du politique à l'économique, mais c'est le pouvoir politique qui en décide ainsi, qui confie son pouvoir à une oligarchie financière[17] qui se reforme à cette occasion et prendra les rênes en tirant profit des divers « accidents » survenus au long des années 70 : chocs pétroliers, crises monétaires, etc. Avec la mondialisation, le marché met la république entre parenthèses, jusqu'au crash sur le mur de la dette.

Les années 70 sont des années agitées sur tout le front monétaire, tant au plan national qu'international. Ainsi, en France, la loi Giscard du 3 janvier 1973 stipule en son article 25 « le Trésor public ne peut être présentateur de ses propres effets à l'escompte de la Banque de France », ce qui signifie que l'État doit désormais se financer au prix du marché, c'est-à-dire qu'il doit payer le vrai prix de l'épargne pour financer la redistribution *via* les services publics. Certes, la Banque de France pourra toujours racheter des bons du Trésor afin de refinancer les banques qui en auront besoin, mais c'est la fin de la « planche à billets », c'est-à-dire de l'émission régalienne de monnaie pour les besoins de l'État. Cette réforme est dans le prolongement de la loi Debré de 1967 et précède la loi bancaire de 1984, qui ouvrira définitivement la voie à la financiarisation de l'économie française.

---

17 - On a pu présenter, à l'époque, la victoire de V. Gicard d'Estaing comme celle du groupe Suez, compagnie financière, qui le soutenait, et dont le regard était tourné vers le grand large.

Au plan international, dans ces années 60-70, les États-Unis en lutte avec l'URSS inondent l'économie mondiale de dollars émis pour financer la guerre du Viêt-Nam (Johnson avait décidé de faire tourner la planche à billets, contre l'avis de ses conseillers keynésiens qui lui recommandaient de prélever l'impôt nécessaire), ainsi que la conquête spatiale. Les déficits américains fournissaient donc la liquidité internationale, mais sans politique monétaire mondiale : dominants, les É-U gèrent toujours leur monnaie en fonction de leur intérêt particulier, peu leur importe l'intérêt général (« le dollar est notre monnaie et votre problème »). Par conséquent, les taux de change deviennent très vite chaotiques, avec d'abord la crise de la livre sterling en 67-68, puis la crise globale du SMI en 71.

Car selon Bretton Woods, système d'étalon de change or (*gold exchange standard*), le dollar était la monnaie mondiale, définie en poids d'or, chaque monnaie nationale étant définie en dollar. Et quand la Bundesbank refuse en 71 de continuer d'être payée en dollars dépréciés par rapport à l'or, en « monnaie de singe » donc, Nixon n'a d'autre choix que de décider, unilatéralement, la non-convertibilité du dollar en or. Suit une dévaluation du dollar et une tentative de réajustement général des taux de change de référence (les parités), puis l'abandon de leur fixité en 73. S'engagent alors des discussions pour gérer la situation, ce qui aboutira au passage à des changes flottants, c'est-à-dire à des taux de change livrés au marché, ce qui sera finalement officialisé par les accords dits « de la Jamaïque » (1976). Avec la fin de Bretton Woods, c'est la fin de la gestion inter-étatique des paiements inter-nationaux : le dollar est privatisé, et les institutions financières privées vont alors prendre en main les marchés de devises, dont le développement va s'accompagner de celui des techniques de couverture du risque de change, « utiles » aux États et aux FMN. Toute une ingénierie financière va prospérer, jusqu'aux fameux « produits structurés » qui vont faire de la monnaie un produit ultra-spéculatif.

L'inflation va de plus s'alimenter du recyclage des pétrodollars, dans une spirale connexe, quand l'inflation mondiale conduit les producteurs de pétrole à multiplier le prix du baril par quatre : c'est le choc pétrolier de 1973, que l'on a accusé alors de provoquer la poussée de l'inflation (autour de 12 %), alors qu'il n'en expliquait en réalité que moins du quart. D'une part, les nouveaux pays rentiers ne pouvaient que remettre leurs dollars dans le circuit monétaire international, par exemple en achetant des bons du Trésor US, d'autre part, les banques non US développèrent le circuit des eurodollars, en prêtant directement des dollars aux entreprises qui en avaient besoin, par exemple EDF pour payer ses achats de pétrole. Comme ces émetteurs exogènes de dollars pouvaient se refinancer à guichet ouvert auprès de la Fed, *via* leurs correspondants aux É-U, la liquidité internationale était hyper-abondante. Et l'inflation était accompagnée. (Pour plus de détails, voir [6].)

Cette course entre les prix et les revenus ne pouvait pas durer éternellement et les luttes politiques et sociales firent à la fin le lit du néo-libéralisme, au prétexte que désormais seules des politiques inspirées des grands principes du libéralisme pourraient trancher le nœud qui étranglait l'économie, en l'assouplissant et en l'ouvrant sur le monde.

Dès la fin des années 60, les néo-libéraux commencèrent de tirer à boulets rouges sur le keynésianisme, tenu pour responsable de la spirale inflationniste : P. Fabra rapporte dès janvier 67 (*Le Monde*), que les banquiers américains posaient la question de la conception keynésienne du rôle de la monnaie et de la politique de la Fed en face de l'inflation montante, et en 1969, P. Drouin se demande si les gouvernements ne sont pas en train de mettre « Keynes aux oubliettes ? ». Ce n'est qu'en 1976 que Rueff annonce enfin « la fin de l'ère keynésienne » et en 1979 que P. Salin peut intimer : « oublions Keynes ». En même temps, sur le plan structurel, des économistes, tels Shaw ou McKinnon, en appellent dès 1973 à la « fin de la répression financière »[18].

---

18 - Au milieu de ce concert libéral, une voix discordante s'est fait entendre, celle de J. Attali (*L'Expansion*, sept. 1975), où il signe un billet intitulé « Keynes contre Keynes ». Lui aussi y appelle à abandonner les outils keynésiens, désormais contre-productifs, et prône, pour l'objectif de plein emploi, une nouvelle économie politique permettant la maîtrise sociale de l'investissement en vue d'assurer la prééminence des besoins humains et non de la course à l'accumulation. Il réclame donc, in fine, de « nouveaux rapports sociaux ». C'est ce même Attali qui propose en janvier 2008, en pleine tourmente, dans son rapport au Président pour la « libération de la croissance », le financement des retraites par capitalisation dans des « fonds de pension à la française » et le développement du marché hypothécaire. Et qui prétendra après octobre avoir prévu un « tsunami financier », qui ne l'a pas englouti, puisqu'il revient à la charge avec un nouveau rapport en 2010, pour prôner le non-remplacement d'un fonctionnaire sur deux ou la « flexi-sécurité à la française » (toujours à la française !)

La revendication était double : d'une part, mettre fin aux carcans étatiques qui empêchaient d'entreprendre rationnellement, c'est-à-dire la régulation financière qui rend l'accès à l'épargne artificiellement coûteux, et faire tomber les barrières à l'échange international qui protègent des producteurs inefficaces, etc. ; d'autre part, disqualifier l'hérésie keynésianiste, source d'inflation et de chômage, de dettes et d'impôts, et lui substituer une gestion plus favorable à « l'homme aux écus », le rentier, qui ne veut pas mourir. Il s'agit en fait de revenir à la bonne vieille recette conservatrice, la baisse des salaires, qui implique cette fois une attaque contre l'État-providence, c'est-à-dire le salaire socialisé, afin de restaurer la compétitivité et cesser de dévaluer la monnaie nationale. Mondialisation et réduction du coût salarial sont les deux mamelles de la révolution néo-libérale, revanche des rentiers.

Mais il a fallu du temps aux gouvernements occidentaux, pour refermer officiellement la parenthèse keynésienne, car ils ont d'abord pensé pouvoir gérer les conséquences du choc pétrolier de 1973 avec les outils keynésiens. En 1975, réunis au sein du G7 au sommet de Rambouillet, ils restent optimistes : « les démocraties industrielles sont décidées à venir à bout du haut degré de chômage, de l'inflation continue et des graves problèmes de l'énergie » et « nous avons la conviction que nos politiques actuelles sont compatibles et complémentaires et que le redressement est bien engagé. Nous n'en reconnaissons pas moins le besoin de rester vigilants. »

Changement de ton en 1977, à Londres : « l'inflation n'est pas un remède au chômage mais, bien au contraire, l'une de ses causes principales », puis à Bonn l'année suivante : « notre principal souci est le chômage », mais l'idée reste celle de la « théorie des locomotives » : en gros, pour rééquilibrer l'économie mondiale, Allemagne et Japon, à la balance des paiement excédentaire, devaient soutenir leur activité, ouvrant ainsi des débouchés à leurs partenaires déficitaires. Ce n'est qu'en 1979, au sommet de Tokyo, que le G7 opte pour le nouveau cap.

Le coup de grâce au keynésianisme est porté par le second choc pétrolier et la nouvelle accélération de l'inflation : le sommet de Venise, en 1980, déclare que « la réduction de l'inflation est la première des priorités et bénéficiera à tous les pays. L'inflation freine la croissance et nuit à tous les secteurs de nos sociétés. Une politique énergique de rigueur budgétaire et monétaire est nécessaire pour briser les anticipations inflationnistes. » Le sommet propose d'articuler des politiques de rigueur contre l'inflation au renforcement de la coopération internationale dans une économie ouverte pour contenir le chômage croissant.

2. L'alternative néo-libérale :
des politiques anti-sociales

Dans les pays anglo-saxons, le contexte stagflationniste permet à la « révolution conservatrice » Thatcher-Reagan de substituer le néo-libéralisme au keynésianisme à bout de souffle. Même résultat, mais pas de telle révolution, en Europe, seulement un « tournant de la rigueur », en France, en 82-83, quand il a fallu choisir entre le SME et ladite rigueur ou sortir du SME et continuer de subir la contrainte extérieure stagnationniste. On a choisi le SME présenté comme havre de stabilité au sein du désordre monétaire international, mais en réalité, il s'agissait de se lier au mark et de s'imposer une discipline des salaires et des prix, avec les critères de bonne gestion du Traité de Maastricht. Le passage à la monnaie unique devait parfaire ce dispositif, construit sur le modèle de l'Allemagne, qui avait elle-même pris ce tournant de la rigueur dès 1979 et dont les performances économiques lui donnaient le leadership. D'autant que le modèle allemand d'« économie sociale de marché » permettait de gérer la rigueur dans le cadre du supposé « modèle social européen ».

Ainsi, le néo-libéralisme n'est pas monolithique, ni dans sa doctrine, ni dans ses politiques : selon le lieu, le moment ou les circonstances, des divergences sont apparues, et apparaissent encore, au-delà de la convergence globale, entre les diverses stratégies gouvernementales. Pour les décrypter, on peut utilement distinguer ultra-libéralisme, monétarisme et ordo-libéralisme.

a- une référence doctrinale multiple...

L'ultra-libéralisme est lui-même complexe, mais renvoie principalement aux libertariens de l'École autrichienne de von Mises et Hayek, (P. Salin et A. Madelin en France) et à l'économie de l'offre symbolisée par la célèbre « courbe de Laffer ». Le libertarianisme, son nom l'indique, veut tout libéraliser au maximum : un seul critère, les droits de la personne humaine, dont l'action est rationnelle et volontaire. F.A. Hayek en a énoncé le principe fondamental : seul l'individu sait ce qui est bon pour lui, nul ne peut en décider à sa place. Il n'existe pas de grandeurs macroéconomiques en elles-mêmes, comme le prétend Keynes, pas plus qu'il n'existe d'intérêt général. La relation naturelle de la personne à l'autre est l'échange et pour peu que les droits de propriété personnelle soient respectés, le marché met en cohérence les choix individuels pour le bien de tous, chacun étant récompensé selon ses mérites. La société s'autorégule, on ne la construit pas, car nul organisme ne peut avoir la connaissance complète des subjectivités. Cependant, l'intervention étatique, nécessaire au-delà des seules fonctions régaliennes, par exemple pour assurer le système routier[19], doit aussi veiller à la survie de ceux qui ne trouvent pas leur place dans la société : un revenu minimum d'existence est admissible, s'il ne détourne pas du travail ceux qui y sont aptes. Prélever l'impôt à cet effet est donc totalement légitime. RMI et RSA en sont des avatars, et l'équivalent existe dans tous les pays.

Par contre, l'État ne doit pas dépasser ces limites : toute immixtion dans les mécanismes de marché amène des dysfonctionnements qui peuvent devenir critiques et la crise est la correction des écarts entre la vérité du prix de marché et la fausseté du prix administré. En l'absence d'intervention extérieure, les grandeurs économiques sont fixées par le marché, dans un processus autorégulé, sans conflit d'intérêts (privés, eux seuls existent).

La monnaie est elle-même le résultat d'un processus d'auto-régulation. Ainsi, l'euro, monnaie unique construite technocratiquement est une aberration, car le calcul économique individuel n'est plus optimal, puisque les individus n'ont aucun acquis informatif. Il aurait fallu au contraire mettre en place une concurrence entre monnaies, dont aurait émergé la bonne monnaie pour l'Europe. On pourrait éventuellement instaurer une monnaie parallèle, comme l'était l'Écu, c'est-à-dire une monnaie commune à toutes les nations et en concurrence avec les monnaies nationales. L'expérience des utilisateurs leur ferait alors sélectionner la bonne monnaie, celle qui répondrait le mieux

---

19 - On oublie, ou on ne sait pas, que Walras fut en son temps un ardent défenseur du service public des chemins de fer (référence en fin de texte).

à leurs besoins. De plus, le système des paiements et celui d'intermédiation fonctionneraient mieux dans un système de banque libre (*free banking*), sans banque centrale, chaque banque émettant sa propre monnaie adossée à un étalon réel, l'or ou un panier de biens. Où l'on retrouve la neutralité monétaire à la Rueff.

L'autre composante ultra-libérale, l'économie de l'offre, est principalement anti-fiscaliste, au motif qu'au delà d'un certain taux d'imposition (autour de 25 %) le prélèvement fiscal serait contreproductif du point de vue des rentrées fiscales. Car un impôt perçu comme confiscatoire est désincitatif : les entrepreneurs considèrent que leur activité, prise de risques, etc , est mal rémunérée et ils n'entreprennent plus. Alors le chômage vient. Par contre, libérés du poids de l'impôt, ils s'activent au maximum, créent des emplois, distribuent des revenus, etc. : le pays s'enrichit au fur et à mesure qu'ils s'enrichissent, par effet de ruissellement (*trickle down effect*)[20].

Le monétarisme est plus connu, ne serait-ce que par son pape, Milton Friedman, qui a remis au goût du jour la vieille théorie quantitative de la monnaie, expliquant l'inflation par l'excès de création monétaire, comme J. Bodin expliqua en son temps la hausse des prix de la première moitié du 16e s. en Europe, par l'afflux d'or et d'argent espagnol. Pour tuer l'inflation, mais aussi éviter la déflation, une seule règle : adapter la création monétaire au progrès de la richesse réelle, en calquant le taux de croissance de la masse monétaire sur celui du PIB réel. Pour contrer les « keynésianistes », Friedman a, par ailleurs, « verticalisé » la courbe de Phillips pour expliquer leur impuissance à continuer de substituer l'inflation au chômage : selon cette nouvelle théorie, le taux de chômage est un taux « naturel », d'autant plus élevé que les structures de l'économie sont plus rigides, et tenter de le réduire en injectant de la monnaie dans le circuit de l'économie ne peut que produire toujours plus d'inflation. La solution est alors de flexibiliser le marché du travail, etc., toutes les médecines néolibérales.

---

20 - Le proverbe chinois dit « quand le gros maigrit, le maigre meurt », tandis que l'africain met en scène l'éléphant et la gazelle.

69

La troisième composante du néo-libéralisme est bien moins connue, mais commence à l'être, il s'agit de l'ordo-libéralisme. Cette variante prend de plus en plus d'importance aujourd'hui, car plus adaptée à la gestion des sociétés capitalistes actuelles, en crise profonde. En effet, élaborée dans l'entre-deux-guerres par W. Eucken et W. Röpke et mise en application après 45 en Allemagne par L. Erhardt sous l'appellation d'*économie sociale de marché*, cette doctrine légitime un minimum de régulation et ne prône pas la même dureté sociale que les précédentes en ce qu'elle repose sur un impératif de justice pour assurer la cohésion sociale. Au Sud, elle a permis de gérer l'échec des politiques d'ajustement définies par le Consensus de Washington et elle fonde le Post-consensus qui permet aux IFI libérales de garder la main[21] et aux pays émergents de gérer leur ascension. Au Nord, elle permet d'expliquer la crise par un défaut de régulation et de réintroduire l'idée que l'État doit intervenir pour contrôler le marché et gérer la sortie de crise. Exactement ce dont a besoin un système capitaliste à bout de souffle et qui a retenu les leçons du passé, quand l'orthodoxie des années 20 et 30 conduisit à la seconde guerre mondiale.

Libéral, l'ordo-libéralisme ne jure certes que par le marché, seul à même de récompenser chacun selon son mérite, mais il considère qu'un total laisser-faire fait émerger des monopoles, des situations de rente, etc., qui peuvent produire un enrichissement sans cause. Il faut donc réguler le marché, construire une concurrence « libre et non faussée » pour protéger l'ordre social qui devrait « naturellement » régner, celui de la morale et de la solidarité, pour le bien public, du jeu de mécanismes inopportuns. La liberté d'entreprendre ne doit pas défaire la cohésion sociale et l'État doit y veiller, mais sans aller au-delà de ce minimum : c'est ce principe de subsidiarité qui « sauve » ce libéralisme du risque de socialisme.

Tous ceux qui, libéraux, exècrent l'État, mais, sociaux, renâclent à effacer les acquis de solidarité, trouvent dans l'ordo-libéralisme une doctrine qui permet de gérer à moindre coût les conflits sociaux, en cherchant à les anticiper, au lieu de les accepter comme mécanismes de régulation sociale. Sous cette doc-

---

21 - Cf B. Conte, *La tiers-mondialisation de la planète*, PUB, 2010.

trine, peut alors se déployer un large éventail de positions politiques, des chrétiens sociaux[22] de droite à ceux plutôt de gauche et plus largement à toute la gauche social-libérale, cette dernière pouvant ainsi accepter le marché et la mondialisation : « oui à l'économie de marché », tout en faisant mine de rester sociale : « non à la société de marché ». La gauche « de gouvernement », auto-déclarée « social-démocratie moderne »[23] a ainsi pu espérer limiter les dégâts en intégrant la France dans l'Europe ordo-libérale.

Selon le principe ordo-libéral de justice, l'inflation est l'ennemi numéro un, puisqu'elle induit des distorsions de concurrence, qui font diverger intérêts particuliers et intérêt général. À cette fin, l'indépendance de la banque centrale est une garantie, dans la mesure où la loi lui donne pour mission la stabilité monétaire et où le gouvernement ne peut plus décider d'utiliser la planche à billets. Cependant, quelle que soit la référence doctrinale, les politiques mises en œuvre vont toutes dans le même sens, celui de la traditionnelle politique conservatrice de sortie de crise, la régression salariale et sociale.

b- ... mais des politiques pareillement anti-sociales

Le volet stratégie conjoncturelle de la nouvelle approche, appelé en France désinflation compétitive, se veut une alternative efficace au keynésianisme, fondée sur la microéconomie néo-classique et non plus sur la macroéconomie, agissant du côté de l'offre, et non plus de la demande. Cette stratégie repose sur la capacité d'une baisse des coûts salariaux à combattre à la fois l'inflation et le chômage.

---

22 - Un bon exemple en est l'ancien directeur du FMI, M. Camdessus, ordo-libéral type, qui a pu aussi bien inspirer Sarkozy que soutenir Bayrou, et conduire les féroces plans d'ajustement structurel des années 90, que présider les Semaines sociales de France. Selon un rapport sur les conditions de la croissance remis en 2004 à l'actuel Président, il convient de « travailler plus, revoir les contrats de travail, modérer le Smic, diminuer le poids des administrations.... Heureusement, ajoute-t-il, « le marché est là pour empêcher les politiques de faire des bêtises » (distribuer sans avoir produit, c'est-à-dire vivre à crédit, etc.), et « la mondialisation rapproche les peuples ».

---

23 - « Moderne » signifie ici « acceptant le marché », tandis que « archaïque » renvoie aux vieilles lunes de l'économie mixte. C'est au nom de cette même modernité que les radicaux des années trente avaient refusé de suivre le Front populaire dans sa politique financière et choisirent de libéraliser heures supplémentaires pour tourner les 40 h, etc.), quand les pays scandinaves choisissaient la vraie modernité du temps, l'« ancienne » social-démocratie.

Elle passe par deux canaux : celui de la compétitivité externe, qui enchaîne baisse des coûts salariaux - baisse des prix à l'exportation - hausse des exportations - hausse de l'investissement - augmentation de l'emploi - baisse du chômage ; et celui de la profitabilité, qui le renforce : baisse des coûts salariaux - hausse des profits - hausse de l'investissement, etc. C'était le fameux « théorème de Schmidt », du chancelier allemand d'après conversion[24] : « les profits d'aujourd'hui sont les investissements de demain et les emplois d'après-demain ».

Cela suppose que la compétitivité repose principalement sur les prix, mais la compétitivité hors-prix est souvent tout aussi importante, c'est le cas de l'Allemagne grâce à ses réseaux commerciaux, la structure de son appareil productif, etc. Cela suppose surtout que les profits dégagés soient investis dans la conquête des marchés, ce pourquoi il faut un extérieur dynamique offrant des débouchés potentiels. Si ces deux conditions sont réunies, cette stratégie peut réussir à contenir l'inflation et résorber le chômage. Par contre, si elles ne le sont pas, c'est la stagnation assurée, surtout si les partenaires adoptent eux-mêmes la même stratégie : dans l'économie-fiction ricardo-néoclassique, tous peuvent exporter simultanément et tous gagner à l'échange selon leurs avantages comparatifs, mais ce théorème ne s'applique pas dans l'économie réelle. La désinflation compétitive a effectivement cassé l'inflation, mais elle a aussi cassé la croissance, du moins en Europe, sauf pendant les années « bulle internet », quand son financement à guichet ouvert par la Fed a fortement tiré la croissance mondiale jusqu'à son éclatement en 2000. Ensuite, aux États-Unis, la croissance est repartie, mais fondée sur une bulle immobilière, la prospérité était tout aussi artificielle que celle des années 20, comme l'a révélé la crise des *subprimes*.

Les principes de gestion néo-libéraux, laisser libre cours aux mécanismes de marché, neutraliser la monnaie et gérer les finances publiques à l'équilibre, masquent l'objectif profond de la « révolution conservatrice » du tournant des années 70-80, qui est de restaurer le taux de profit en cassant les coûts salariaux. A cet effet, les politiques néo-libérales vont opérer un double vi-

---

24 - Quand il était encore keynésien, H. Schmidt disait : « je préfère 5 % d'inflation à 5 % de chômage ».

rage à 180° : au plan conjoncturel, en rejetant le keynésianisme pour casser l'inflation ; au plan structurel, en réformant à tout va, le marché du travail, la fiscalité, les services publics, etc, pour réduire la part de la valeur ajoutée distribuée aux salariés, directement ou *via* le salaire socialisé (protection sociale, services publics, etc.)

Au plan structurel, il s'agit de ramener le coût du travail à sa « vraie valeur », suivant l'idée néo-classique que le chômage résulte des rigidités de l'offre et de la demande de travail : fiscalité plus ou moins confiscatoire sur le revenu, garanties de revenus, Code du travail (dont le pas seulement symbolique contrôle des licenciements[25]), etc.

Dès 1979 et 1981, thatcherisme et reaganomics, guidés par le monétarisme et l'ultra-libéralisme, mènent de front réformes structurelles brutales et réorientation des outils conjoncturels. D'une part, ils font le choix de la baisse des impôts pour les plus riches (tranches marginales supérieures abaissées de 96 % ou 92 % à moins de 50 %), de l'abandon des « canards boiteux », de la privatisation des services publics, de la déplanification, etc. D'autre part, le coup d'arrêt de la Fed au refinancement des eurodollars[26] va beaucoup aider, l'austérité monétaire induisant des taux d'intérêt élevés qui vont ralentir l'activité et faire pression sur les salaires.

L'inflation sera vaincue, plus ou moins définitivement, mais au prix d'un chômage devenu structurel à des niveaux élevés malgré les « réformes » du marché du travail. Les néo-libéraux expliquent alors ce résultat contraire à la prévision en reprenant l'antienne d'une insuffisance des réformes : le monétarisme n'est pas en échec, on n'est pas allé au bout de ce qu'il fallait faire ! Le néo-libéralisme sera « sauvé » par la financiarisation débridée des années

---

25 - L'autorisation administrative de licenciement est abolie en 1986 (P. Séguin), le Code du travail est constamment allégé : « 300 pages de Code du travail, c'est 300 millle chômeurs, 3000 pages, c'est trois millions » (E. A. Seillère, président du Medef), etc.

---

26 - Le 6 oct. 1979, P. Volcker augmente le taux d'escompte de la Fed : le taux de base bancaire monte à 21,5 % en 1981, tandis que l'inflation chute de 13,3 % en 1979 à 9,8 en 1981 et 3,8 l'année suivante. L'inflation est terrassée, mais la croissance n'a pas repris et le chômage approche 10 % en 1982. Une autre conséquence fut la crise de la dette mexicaine, en 1982, première de toute une série qui s'est poursuivie jusqu'en 2008.

95-2005, quand l'injection de liquidités nourrira bulle financière après bulle financière : bulle internet des années Clinton, bulle immobilière des années W. Bush. Et les guerres en Irak et Afghanistan, qui engagent de fortes dépenses, soutiennent classiquement l'activité.

Sur le continent, le processus est plus étalé. La première à aller dans ce sens fut l'Allemagne, non par la volonté des gouvernements, mais parce que l'indépendance de la Bundesbank leur mit des bâtons dans les roues, en resserrant dès 1973 une politique monétaire jamais accommodante dans la gestion des conflits sociaux, notamment en 1975, et l'inflation fut toujours contenue en deçà de 7 %. Le volet budgétaire de la politique macro-économique avait en effet été rapidement keynésianisé, d'abord sous le chancelier Brandt, qui fit voter en 1967 une loi de « promotion de la croissance et de la stabilité », c'est-à-dire de pilotage keynésien. H. Schmidt, qui lui succéda en 1974, continua d'abord dans cette voie, acceptant même, en 1978, de jouer, avec le Japon, les locomotives pour tirer la croissance mondiale. Mais, soutenu par les monétaristes, il dut opter dès 1979 pour la rigueur, afin de gérer le second choc pétrolier et les problèmes de change concomitants. Cela accompagnait la création du SME et de l'ECU.

Sur le plan structurel, H. Kohl, qui succède à Schmidt en 1982, entreprend d'ôter toute scorie anti-libérale à une ESM, certes en principe ordo-libérale, mais souillée dès le départ par des mesures sociales d'inspiration social-démocrate : négociations collectives, cogestion des entreprises, épargne salariale, contrôle des licenciements, etc. Ce travail de purification sera approfondi avec la plus grande ardeur par G. Schroeder, et l'appui des Grünen, dans le cadre de l'Agenda 2010 (il s'agit principalement des lois Hartz, du nom du DRH de Volkswagen qui les a portées), puis par A. Merkel aujourd'hui. Le résultat est probant : CDD en forte hausse, salaires et indemnisation du chômage en forte baisse, etc., avec, *in fine*, une nette progression de la pauvreté.[27]

---

[27] - « Une personne sur sept dispose de moins de 60 % du revenu médian dans le pays le plus riche d'Europe. » *Le Figaro*, 19/2/2010. En France, en 2009, on compte 8,2 millions de pauvres, soit 13,5 % de la population, en hausse constante. « Les niveaux de vie en 2009 », Insee première, sept. 2011.

Quant à la France, elle a réagi tard, en 1983, mais brutalement[28] : financiari-sation rapide de l'économie, par la loi bancaire de 1984, qui crée un « grand marché unique des créances » et laisse les taux d'intérêt aux marchés finan-ciers ; innovations financières (SICAV, FCP, etc.) à l'appui ; mais, surtout, baisse rapide de la part des salaires dans la valeur ajoutée, qui passe de 74 à 65 % du PIB en six ans seulement (1983-1989) ! La suite fut une régression plus progressive, malgré les brutales privatisations des gouvernements Chirac puis Jospin. Pour le reste, en effet, le modèle social a mieux résisté aux at-taques, tant pour le marché du travail que pour la protection sociale, même si la compétition avec l'Allemagne, imposée par le choix de l'Acte unique, puis de Maastricht et de l'euro, n'a pas laissé grand choix aux gouvernements en place. La résistance du modèle social a cependant permis à l'activité fran-çaise de baisser moins qu'ailleurs.

Si les choses ont « avancé » du côté de la flexibilisation de l'emploi, ce fut fort difficilement, les réformes du type CPE, par exemple, ayant eu beaucoup de mal à passer. On a alors cherché du côté de la fléxi-sécurité danoise un deal acceptable, mais il est toujours difficile d'importer un modèle qui a pris corps dans d'autres circonstances. La « solution » est venue d'une insidieuse préca-risation de l'emploi, sensée pallier les dégâts des « 35 heures », qui sont encore le plus souvent présentées comme une rigidité à laquelle il faut remédier, afin de pouvoir travailler plus. Mais, d'une part, l'emploi résulte de la croissance, et non l'inverse[29], et, d'autre part, les 35 h ont déjà fait silencieusement entrer le loup flexibilité dans la bergerie social : les salariés ont échangé une réduction du temps de travail contre l'annualisation de son décompte (disparition des heures supplémentaires), avec flexibilité des horaires (des 3x8 aux 4x10 ou 2x10, etc.), la modération salariale (du salaire direct, donc) et l'allègement des cotisations sociales patronales (c'est-à-dire du salaire socialisé). Un royaume contre un plat de lentilles.

---

28 - *Le Financial Times* se félicita de pouvoir saluer en F. Mitterrand, le « meilleur monétariste d'Eu-rope » ! C'est que Mrs. Thatcher échouait à faire baisser drastiquement les salaires et tuer l'inflation.

---

29 - Ceux-là mêmes, telle Mme Lagarde, qui nous ont seriné pendant des années que l'emploi dé-pend de la souplesse du marché du travail nous expliquent aujourd'hui, avec la crise, qu'il ne fau-drait pas qu'un excès de rigueur casse la croissance et fasse monter le chômage !

Avec les lois Auroux, en 1982, il s'agissait d'introduire la démocratie dans l'entreprise, niveau de négociation supposé adéquat pour faire sauter les blocages de la productivité. Mais c'était l'application du principe de subsidiarité dans une approche ordo-libérale sociale de gauche : ne pas faire au niveau de l'État ce que l'on peut décentraliser et confier aux niveaux intermédiaires. Avec les 35 h, qui les prolongent, on renforçait la négociation employeurs-salariés, mais c'était surtout de flexibilité du travail qu'il s'agissait, le tout visant le modèle allemand où la cogestion a conduit à la même chose. Toujours l'économie sociale de marché au bout du viseur.

En 2007, le nouveau président, N. Sarkozy, élu sur l'idée de rupture, veut revenir sur ces 35 h et tous autres blocages de la croissance. Il fait voter dès le mois d'août une loi inspirée par l'économie de l'offre, la loi du 21 août « en faveur du travail, de l'emploi et du pouvoir d'achat », ou loi TEPA. Elle prévoit notamment la défiscalisation des heures supplémentaires, un crédit d'impôt sur les intérêts d'emprunt immobilier, l'allègement des droits de succession et de l'ISF et enfin l'abaissement du bouclier fiscal, toutes mesures sensées débloquer l'esprit d'entreprise et dynamiser l'économie française. Elle prévoit aussi de remplacer le RMI par un RSA supposé plus incitatif au retour à l'emploi. L'efficacité de ce « paquet fiscal » va trébucher à cause du talon d'Achille de l'économie de l'offre, dont le succès (s'il y a) repose en fait sur la mise en œuvre des mécanismes keynésiens standard de soutien de la demande. Cela avait marché temporairement pour la reaganomics parce que la place du dollar monnaie internationale avait permis aux États-Unis d'ignorer les « déficits jumeaux » (du budget et des paiements extérieurs). Mais, de même que cela a finalement échoué pour des États-Unis aujourd'hui au bord de la récession, de même cela a échoué en France : inégalités et pauvreté croissantes, faible croissance, chômage, déficits, etc. La France n'étant pas exportatrice, son insertion dans l'UE ne lui permet pas le même dédain des déficits que l'Amérique de Reagan, parce que la « règle d'or » de Maastricht l'interdit et parce que le pouvoir monétaire sur la valeur de la monnaie est ailleurs : la sarkonomics n'est pas soluble dans l'euro.

Au final, les allègements d'impôts et de cotisations sociales pour lutter contre un chômage qui réduit déjà les rentrées fiscales et sociales, se répercutent nécessairement sur les services publics et la sécurité sociale : moins de recettes sociales, c'est moins de remboursements pour les malades, moins de droits pour les chômeurs, des classes fermées, etc. Si on admet que les mécanismes globaux sont keynésiens (demande - croissance - emplois), on comprend que le dynamisme de l'économie ne sera pas très élevé et que le chômage ne baissera pas beaucoup[30]. La politique sociale visera donc la désocialisation, ou « économicisation », de la protection sociale, c'est-à-dire sa marchandisation : baisse du montant des pensions pour promouvoir les retraites par capitalisation[31], déremboursement ou franchises sur les soins pour promouvoir l'assurance maladie privée, Révision générale des politiques publiques[32], etc.

La forte limitation de la redistribution pèse sur les classes moyennes, celles qui consomment, et qui, lentement euthanasiées, ne font plus les débouchés jusque-là déterminants. La financiarisation ajoute une forte pression à la baisse de la demande en bloquant l'investissement économique, c'est-à-dire l'accumulation de capital réel. La finance est certes une solution contre la BTTP, au même titre que les délocalisations, par exemple, mais elle détourne les profits de l'investissement productif, préférant la quête du profit financier à court terme, sans norme limitative[33], à l'attente d'un profit industriel à plus long terme et peu incitatif. En effet, les entreprises industrielles ont pu, dès les années 80, restaurer leurs profits en faisant de la « gestion de trésorerie »,

---

30 - L'Allemagne est un cas à part, dont la demande est faite de ses exportations, mais qui doit tenir ses coûts salariaux pour pérenniser sa compétitivité, ce qui ouvre peu de débouchés à ses partenaires. On notera que le néo-libéralisme rétablit la courbe de Phillips : avec l'austérité monétaire et budgétaire, la substitution chômage-inflation fonctionne parfaitement !

---

31 - L'allongement de la durée de cotisation ou le retardement du départ de 60 à 62 ans ou plus, font baisser le montant des pensions, puisque l'âge réel moyen de départ est à 58-59 ans, ce qui incite à souscrire à des fonds de retraites complémentaires, privés bien sûr, les seuls qui soient efficaces !

---

32 - Visant la réduction du coût des services publics, principalement par le non-remplacement d'un départ de fonctionnaire à la retraite sur deux, la RGPP veut rassurer les marchés sur la déterminaton du gouvernement à tenir la dépense publique .

---

33 - Le taux de profit réel est borné par le rapport richesse réelle nouvelle / stock de richesse à valoriser. En finance, il n'y a aucune limite de cet ordre. Pour financer ses dépenses, Louis XIV avait demandé à Colbert de créer une compagnie commerciale à l'image de la *Cie des Indes* hollandaise, c'est-à-dire rendant 40 % !

c'est-à-dire en la plaçant sur le marché monétaire élargi. Ce fut, en France, la grande époque des OPCVM[34] et, plus généralement, celle du développement du marché des obligations, qui commença à fonctionner comme celui des actions, c'est-à-dire spéculativement, avec les « junk bonds » de triste mémoire, celle aussi des « fusions et acquisitions », des « golden boys » aux rémunérations faramineuses, et de tout le cortège de scandales habituels en ces circonstances.

Certes, les délocalisations vers les pays à bas salaires (les pays dits émergents) et la ponction *via* leur ouverture au commerce mondial sur les pays à rente (rente minière pour les uns, climatique pour les autres, les producteurs de matières premières agricoles), ont permis de rapatrier au Nord une large part de la richesse du Sud qui était auparavant redistribuée sur place, et de conforter la profitabilité. De même, les importations à bas coût ont permis d'abaisser, pour les uns, ou de maintenir, pour les autres, le train de vie de salariés déclassés et de redistribuer suffisamment aux pauvres, pour l'instant, pour assurer la cohésion sociale. Mais, consommation et investissement en berne, exportations à la dérive, sauf le cas particulier de l'Allemagne, les économies du Nord s'essoufflent et cherchent leur salut dans plus de financiarisation, ce qui peut les doper à court terme, mais les enfonce toujours plus sûrement à plus longue échéance.

Au total, les États sont obligés de s'endetter, et le nœud de la dette se resserre alors d'autant plus fort que les recettes font défaut, par suite, à la fois, du ralentissement de l'activité (et donc des revenus) et de la volonté de les diminuer pour soutenir l'activité ! tandis que les dépenses résistent. Si les coupes fiscales sont aisées et rapides, les coupes dans les dépenses publiques et sociales sont beaucoup plus délicates, tant les acquis sociaux sont bien ancrés dans les mœurs : l'école, la santé, les retraites, etc. sont des dépenses peu plastiques. De plus, la montée du chômage est plus rapide que la possibilité d'en diminuer l'indemnisation et celle de la précarité fait apparaître des « travailleurs pauvres » qui appellent plus d'aide : les minima sociaux concernent de plus en plus de personnes, etc.

---

34 - Organismes de placement collectif en valeurs mobilières : sicav, fcp...

La dette enfle, sort des clous de Maastricht, et coûte toujours plus cher. À mesure que la charge de la dette s'élève, les États accentuent l'austérité budgétaire, ce qui induit plus d'endettement : le néo-libéralisme est sorti de la spirale inflation-dévaluation des années 70 et de la stagflation terminale en s'enfermant dans la spirale dette-austérité-stagnation, qui lui sera fatale, parce qu'elle dresse devant lui un mur qu'il ne peut pas franchir, le mur de la dette.

Chapitre 3
2007 : le néo-libéralisme
bute sur le mur de la dette

La crise de 2008 est une « grande » crise financière, du même type que celle de 1929, une crise qui ne peut plus éluder la crise réelle de profitabilité qui aboutit inéluctablement à une nouvelle « grande crise » du capitalisme dans son ensemble, reproduction *cum grano salis* de celle des années 30, et dont on ne sortira, pareillement, que par un changement profond du système économique. En effet, le déclenchement est du même type, krach du marché des crédits hypothécaires qui se répand dans tout le système, d'abord bancaire, puis financier, enfin réel. Et si la gestion est différente, par suite des leçons de 29 (dont Bernanke est un spécialiste), qui ont activé les PDR (prêteurs en derniers ressort) et écarté tout dogmatisme anti-État (nationalisations d'établissements financiers !), la fin sera la même, le système s'écrasant cette fois sur le mur de la dette. Car les solutions mises en œuvre depuis maintenant bientôt cinq ans n'en sont pas, aucune ne mettant en cause mondialisation ou financiarisation : simples palliatifs, elles donnent des répits, mais ne résolvent rien au fond. Le résultat des divers plans de sauvetage et de relance est une simple substitution des États aux débiteurs privés insolvables, ce qui oblige à des politiques d'austérité et fait *in fine* exploser la dette publique, les États de l'eurozone devenant eux-mêmes illiquides, en attendant leur insolvabilité.

L'après-2008 : un sauvetage financiariste

« Financiariste » parce que les autorités pensent le désendettement des faibles dans le cadre de la financiarisation, c'est-à-dire avec refus permanent du financement direct par la BCE et endettement des autres. Difficile alors de désendetter par la baisse du coût, c'est-à-dire des taux, puisque cela écarte inflation et donc taux réels nuls ou négatifs, alors que la croissance est elle-même nulle ou négative, avec des perspectives faibles.

a- La crise de 2008 a sa genèse financière aux États-Unis avec le krach des « *subprimes* » de fin 2006, dont les « experts » ont aussitôt voulu croire les conséquences circonscrites aux É-U, l'Europe étant découplée, etc. De toutes les façons, disait-on, le problème était purement de liquidité bancaire et le resterait, aucun risque de contagion à l'économie réelle. Deux ans plus tard, la réalité apparut : c'était beaucoup plus profond qu'attendu, on ne pourrait plus éviter la récession.

Le krach du marché des « prêts hypothécaires à risque » (*subprime mortgage loans*) est survenu quand des emprunteurs, des salariés perdant leur emploi, ont fini en masse par ne plus pouvoir rembourser. Tout au long de 2007 et 2008, la situation se tend (HSBC, etc), malgré des injections massives de liquidités par la Fed, car le ralentissement économique s'aggrave sous l'effet de la prudence croissante des banques, qui rechignent de plus en plus à prêter. Le krach boursier global survient finalement du 6 au 10 octobre 2008.

La gestion de la crise est alors totalement pragmatiste, suivant deux voies « classiques » de soutien de l'activité : l'aisance monétaire et la facilité budgétaire.

• Il a d'abord fallu procéder au sauvetage des banques par des interventions d'urgence pour sauver le système. C'était pur pragmatisme, mais cela rejoignait l'explication monétariste qui règne en maître dans toutes les IFI : la déflation qui a suivi le krach de 29 étant due, selon cette explication, à l'austérité monétaire, les banques centrales ont cette fois réagi sans attendre, suivant l'idée que le système était simplement devenu illiquide.

Au plan monétaire, les banques centrales sont intervenues en tant que PDR, en injectant massivement des liquidités dans le circuit bancaire : de l'ordre de $ 500 Mds de dollars pour la Fed.

Parallèlement, les États sont intervenus en tant qu'IDR pour apporter des fonds propres aux banques déconfites, cette recapitalisation se traduisant par la nationalisation pure et simple de plusieurs d'entre elles ! En Europe, ce furent, entre autres, Northern Rock et Fortis ; aux Etats-Unis, Freddie Mac et Fanny Mae (réassureurs) au printemps, bien d'autres après le krach d'octobre, dans le cadre du plan Paulson.

• À plus long terme, les États ont engagé des plans de relance massifs qui ont fait dire à nombre de commentateurs que c'était le retour de Keynes (fait homme de l'année par le Figaro *himself* !), en fait du Keynes du keynésianisme standard, des 30 glorieuses, sans doute, mais pas du vrai, celui de Bretton Woods et de l'euthanasie des rentiers, dont le monde aurait vraiment besoin et qui a dû se retourner plus d'une fois dans sa tombe !

Ainsi, au plan budgétaire, les É-U et la Chine ont dépensé des milliards sans compter. Les É-U le pouvaient sans craindre le danger du déficit et de la dette, car ils n'ont certes pas beaucoup de croissance, mais ils ont le dollar monnaie mondiale, pour lequel la configuration géostratégique du monde leur permet encore de ne pas s'inquiéter. À la limite, sa faiblesse est un atout, car elle stimule les exportations et freine les importations. Quant à la Chine, ses réserves en devises et sa très forte croissance, lui ôtent tout souci tant qu'elle peut exporter.

b- L'UE a réagi beaucoup plus timidement, soit que ce n'était pas vraiment nécessaire (Allemagne), soit que les moyens manquaient (France), et surtout parce qu'il n'y a pas de coordination des politiques économiques : les pays « faibles » auraient bien besoin d'une relance allemande, mais, on y reviendra, l'UE n'est pas un espace de solidarité, une mutuelle d'assurance, ce qui pèsera fortement sur le cours des évènements à la suite des problèmes irlandais, grec et portugais.

Au plan monétaire, on constate des réactions contrastées. Aux É-U, la Fed n'a pas eu la moindre hésitation à faire fonctionner la « planche à billets » en rachetant à taux quasi nul des bons du Trésor : deux plans QE1 et QE2 (*quantitative easing* = accommodation monétaire) se sont succédé, un troisième est à l'étude, de 600 milliards de dollars ! De toutes les façons, le dollar monnaie internationale garde la confiance des investisseurs et les taux sur les bons du Trésor US restent modérés.

Par contre, la BCE a été réticente à racheter de la dette souveraine, mais, sous la pression des évènements, elle s'y est finalement résignée, de manière limitée et tardive, en recourant à des « procédures non conventionnelles » et par des baisses de taux à grand contrecœur. Elle avait encore augmenté les taux trois mois avant la chute de Lehman-Brothers !

Au total, tout est reparti comme avant. Sans doute le reprise rapide intervenue dès l'année suivante a-t-elle ramené l'optimisme. Les gouvernements ont très vite parlé d'après-crise, avec cependant un bémol : préparons l'avenir en faisant les réformes nécessaires (c'est-à-dire toujours plus d'austérité), plus tôt nous les ferons, plus solide sera la croissance, et donc le retour à l'emploi.

c- Le traitement de la crise est donc classique, comme si le discours sur sa gravité exceptionnelle, la plus grave depuis 1929, a-t-on dit (à juste titre), voire plus d'un siècle ne servait qu'à légitimer le montant astronomique de dollars engagés (plusieurs centaines de milliards de dollars). Alors que les programmes anti-crise structurels invoqués sont restés totalement velléitaires : rien n'est sorti du G20 de mars 2009, qui devait rien moins que refonder le capitalisme, rien de sérieux sur les paradis fiscaux, une discussion sur la régulation annonçant Bâle iii alors que Bâle ii n'a jamais été mis en œuvre aux Etats-Unis, rien sur les « rémunérations extravagantes », etc.

Les banques produisent des chiffres qui montrent qu'elles *font le job* : hausse des financements de l'économie réelle, notamment aux PME-TPE[35], qu'elles ont retrouvé la sobriété des rémunérations (ah oui !), etc. Elles se défendent de même d'avoir coûté aux contribuables, puisqu'elles ont remboursé. Ce fut fait à bon compte, avec la plus-value sur des titres dévalorisés mis en pension et revalorisés par des marchés mis en appétit par les perspectives de profit à court terme, sachant qu'à long terme le contribuable sera toujours là (on dit le contribuable pour désigner l'État, mais les contribuables, on ne leur demande pas leur avis !).

Au total, la gestion de la crise a, pour l'instant, contenu l'implosion du système de la mondialisation, mais c'est une reprise en trompe-l'œil, la crise est toujours là, rien n'a été fait au fond, et comme en 29, le système va finir par exploser, car ces soins palliatifs butent sur deux écueils : la relance budgétaire et monétaire massive, notamment aux É-U fait craindre le risque inflationniste et une possible guerre des monnaies (quelle réaction chinoise à un dollar à la baisse : sous-évaluer pour continuer à exporter, passer à l'euro ou acheter de l'or, pour se protéger ?) ; l'autre, plus certain, est celui de la dette publique, danger cette fois à la porte.

La dynamique de la dette

Constituée des déficits passés cumulés, la dette publique (souveraine) concerne les administrations publiques : État, collectivités locales et sécurité sociale (maladie, chômage, famille et vieillesse, bientôt dépendance ?). Les règles européennes de calcul sont définies par le Traité de Maastricht en com-

---

35 - En réalité elles alimentent les bulles, immobilière, des matières premières, de l'or, etc.

plément des fameux critères de bonne gestion. La dette est en mouvement : quand un emprunt arrive à échéance, soit, le cas normal, on emprunte de nouveau, soit, plus exceptionnel, on a dégagé un excédent budgétaire, qui permet de se désendetter. En fait, pourquoi rembourser et se priver de moyens, alors que ce qui intéresse l'investisseur, c'est le rendement du prêt, les intérêts, et pour peu qu'il soit assuré de la pérennité de son capital, il ne tient pas spécialement à être remboursé.

a- marchés financiers et dette

Le rôle des marchés financiers est de rendre l'épargne liquide, c'est-à-dire disponible à tout moment. Soit un épargnant qui place son argent, pour financer par exemple l'achat d'une machine, il est a priori engagé pour la durée de vie de l'équipement. Mais s'il peut revendre son titre à un autre épargnant qui prend sa place, il ne s'engage pas vraiment et est donc plus facilement disposé à prêter, donc moins cher. Les marchés financiers ont aussi pour utilité de centraliser de petites épargnes pour financer de gros projets. Leur développement accompagne celui du capitalisme.

Un marché liquide est attractif pour les épargnants parce que les aller-retour sont faciles, peu coûteux, parce que les défauts sont exceptionnels, etc., mais surtout parce qu'il inspire confiance. Il est donc important, pour qui veut s'engager dans un placement, d'avoir une base solide d'évaluation de la situation, d'où la mise au point des « fondamentaux ». La fonction des agences de notation *(rating)* est d'apprécier l'état de ces fondamentaux, grâce aux divers outils de la théorie de la décision rationnelle. Mais en matière de dette souveraine, les fondamentaux (solde primaire, etc.) ne sont pas tout, ils ne peuvent pas modéliser comme on le fait en physique classique, les phénomènes politiques et sociaux, bien trop complexes pour entrer dans les modèles économétriques fondés sur la théorie néo-classique.

Quand vient l'heure de vérité, quand le système s'écroule parce que les engagements ne sont plus tenables, les victimes des marchés invoquent systématiquement l'irrationalité desdits marchés, qui sur-réagiraient à des nouvelles mal interprétées en regard des fondamentaux, etc. Mais les fondamentaux ne disent pas comment le contribuable va réagir, quel est son seuil d'acceptabilité de sacrifices toujours plus lourds, et les investisseurs l'ignorent tout autant. Il est dès lors rationnel pour eux, comme dans toute situation d'incertitude, de voir ce que font les autres et de les imiter. Il est alors tentant pour les dirigeants de s'exonérer de toute responsabilité en accusant les marchés, exonérant dans le même mouvement le système qu'ils prétendent gérer, le capitalisme financiarisé, dont la rationalité anti-sociale s'impose à eux, en réalité. Ce ne sont pas les marchés qui sont coupables, ce sont les lois du capitalisme.

b- la question de la dette

Le problème de la confiance dans la dette publique est principalement celui de son niveau par rapport au PIB, mais aussi celui de la nature des détenteurs et du contexte de croissance, c'est-à-dire de la dynamique globale de l'économie (certains dogmatiques de l'anti-dette ont même proposé d'intégrer à la dette publique les pensions de retraite futures des fonctionnaires, manière de tenir compte de la démographie).

D'une part, l'exemple du Japon montre qu'une dette détenue par des nationaux peut atteindre largement plus de 100 % du PIB sans poser de problème, alors que celle des Etats-Unis, pourtant plafonnée par la loi à 100 %, impose de bien difficiles négociations entre partisans d'une hausse des impôts et partisans de coupes claires dans les budgets sociaux. La dette n'a pas la même importance selon que l'État doit se financer sur le marché financier national ou sur les marchés mondiaux.

D'autre part, une dette n'est pas non plus du tout la même chose selon qu'elle est relativement stable, sous contrôle, ou, au contraire, qu'elle explose, car dans ce cas c'est inéluctablement, tôt ou tard, le défaut de paiement. Pour un pays, on ne peut pas réellement parler d'insolvabilité ou de faillite, même si ces termes sont souvent employés (F. Fillon arrivant en 2007 aux manettes d'un « pays en faillite »), car un pays peut être en défaut ou danger de défaut et posséder un patrimoine bien au-delà de son passif. Cependant, le patrimoine ne vaut que si on peut le vendre, et si on y parvient, cela signifie que le créancier s'est payé sur la bête, comme autrefois les guerriers. On sort des relations marchandes pour revenir à la loi du plus fort.

c- la soutenabilité de la dette

La dette explose quand le pays doit emprunter pour payer tout ou partie des intérêts, car alors la dette s'accroît de la charge de la dette, qui elle-même s'accroît en raison de l'accroissement de la dette. C'est l'« effet boule-de-neige » de la dette, qui entre dans une dynamique de croissance exponentielle. Des taux élevés, qui augmentent la charge de la dette, conjugués à une croissance faible, qui réduit les rentrées fiscales, sont un terrain favorable à la mise en place de cette dynamique qui conduit tôt ou tard au défaut de paiement.

Le solde primaire des comptes publics est le solde courant compte non tenu de la charge de la dette. C'est une notion importante car elle permet d'évaluer la viabilité de la politique budgétaire : sans entrer dans la technique, le principe est que si le taux d'intérêt sur la dette est supérieur au taux de croissance du PIB, la stabilisation du taux d'endettement implique un excédent primaire d'autant plus important que le taux d'intérêt est supérieur au taux de croissance et que le taux d'endettement est élevé.

En effet, si le solde des comptes publics est négatif et qu'il faut emprunter pour payer les intérêts, la dette gonfle d'autant, mais si la richesse produite par le pays augmente du même montant que les intérêts, on peut les payer sans prélever davantage de richesse *via* l'impôt. Autrement dit, si le taux de croissance du PIB est au moins égal au taux de l'intérêt sur la dette, un budget primaire équilibré garantit que le taux dette/PIB n'augmentera pas. C'est la raison pour laquelle le critère d'évaluation de la situation des finances publiques est le taux dette/PIB : s'il est stable, la politique menée est « soutenable »

d- l'explosion de la dette

En cas de faible croissance et de taux plus élevés, la seule solution pour stabiliser le taux d'endettement est de dégager un excédent primaire qui permette de limiter l'augmentation de la dette à ce qu'autorise la croissance du PIB. Si la stabilisation est impossible, c'est inéluctablement, à un moment, le défaut de paiement, sauf si les créanciers acceptent de nouvelles conditions lus favorables au débiteur (la BCE parlerait d'un « événement de crédit »). L'inflation aide à la gestion de la dette, dans la mesure où elle gonfle les recettes, mais le néo-libéralisme ayant rompu le cercle inflation-dévaluation et opté en Europe pour les parités irrévocablement fixes de l'euro, la croissance n'est plus dopée, la vérité de la dette reparaît.

Il faut ici distinguer l'aspect mécanique de l'effet boule-de-neige, de l'appréciation que font les marchés de sa dynamique. Si la dette augmente plus vite que le PIB, le pays peut ne pas risquer de devenir illiquide si les perspectives de rétablissement des comptes sont bonnes (la croissance a de bonnes chances de revenir, un changement de gouvernement laisse espérer plus de rigueur, etc.). Mais si les investisseurs doutent de la capacité des États à rembourser les emprunts à l'échéance, ceux-ci n'ont plus accès au marché financier, sauf à un coût plus qu'exorbitant, et la détermination des banques centrales peut être totale, les lois de la finance finissent par s'imposer. Dans un premier temps, ceux qui doutent veulent vendre des titres souverains que personne ne veut acheter, la décote augmente et les taux d'intérêt montent donc, mécaniquement, étranglant un peu plus le pays visé. Ensuite, les actions des IF créancières sont elles-mêmes décotées, c'est le krach boursier. Enfin, cela peut finir par des troubles politiques ou sociaux, dont la crainte renforce les doutes initiaux.

Finalement, les marchés diront avoir eu raison, mais c'est le résultat du mécanisme des prophéties auto-réalisatrices : j'avais raison, c'est arrivé ! mais c'est arrivé parce que je l'avais craint et que j'ai agi en sorte que ce que je craignais arrive… La confiance des investisseurs va dépendre des chiffres, mais aussi de la capacité des pays à imposer les sacrifices nécessaires et de la solidarité des gouvernements.

e- illustration.

Grossièrement, pour fixer les idées, on considérera que si le taux d'endettement est autour de 100 %, le taux de déficit nécessaire à la soutenabilité de la dette est égal à l'écart entre taux d'intérêt et taux de croissance : par exemple, avec un taux d'intérêt de 3,5 % et un taux de croissance de 2 %, il faut dégager un excédent primaire de 1,5 % du PIB.

Ainsi, soit la France de 2010 : avec un PIB de 1932 Mds et une prévision de croissance de 2 %, une dette de 1591,2 Mds et un déficit courant de 136,5 Mds (dont 47,2 de charge d'intérêts, soit un taux d'intérêt apparent de 3,79 %

et un déficit primaire de 89,3 Mds), la stabilisation immédiate de la dette exigerait en 2011 de limiter le déficit courant à 31,3 Mds. Mais les intérêts s'élèveront (à coût constant) à 65,5 Mds, d'où la nécessité de dégager un excédent primaire de 34,2 Mds, soit 123,5 Mds « de mieux » qu'en 2010. Même en partageant entre réduction des dépenses et hausse de l'impôt, c'est évidemment hors d'atteinte.

De même, un déficit ramené à 3% du PIB en 2013 dans les conditions actuelles de fonctionnement de l'économie est tout aussi utopique : il faudrait déjà pouvoir diviser le déficit par deux, en espérant que les taux ne monteront pas (d'où l'intérêt, pour ne pas charger la barque, de conserver le AAA ! et donc, pour le gouvernement d'aller contre les vœux de sa propre majorité en décidant de poursuivre la mise en œuvre de la RGPP) et que la croissance restera (si jamais elle y arrive cette année !) à 2 %.

Le cas de l'Allemagne montre bien comment doit s'apprécier la situation de la dette. Depuis au moins 15 ans, l'Allemagne a toujours eu un taux d'endettement plus élevé que celui de la France, d'un ou deux points de PIB (83,2 contre 81,7 aujourd'hui), sauf en 2008, à la suite des choix budgétaires français de 2007, et en 2009, parce que la gestion de la crise (plans de relance, soutien aux banques, etc.) a fait bondir de 10 points, le taux français dès 2009 et l'allemand en 2010 seulement.

Mais la situation allemande est radicalement différente : après la récession de 2009, l'économie y est redevenue très dynamique et son taux de croissance élevé, légèrement supérieur au taux d'intérêt moyen sur la dette, lui vaut des rentrées fiscales qui, couplées à moins de dépenses sociales, lui permettent un déficit limité dès 2010 à 3,3 % du PIB. La dette allemande est donc sous contrôle, aucun souci pour son AAA ! (si toutefois les perspectives de croissance ne sont pas trompeuses…)

Par contre, les récessions survenues en 2008 ou 2009 ont plombé la Grèce, l'Irlande et le Portugal, dont la situation était beaucoup plus faible, avec des chiffres alarmants qui ont fragilisé leur capacité à gérer leur endettement. L'Europe s'est alors résolue à aider ces pays à rétablir leurs comptes publics, car le risque était systémique : *quid* de l'euro et, derrière, *quid* du système bancaire et financier ? Beaucoup plus endettée que l'Irlande et le Portugal, la Grèce était le maillon faible, celle par qui allait venir le cataclysme.

Sauver la Grèce pour sauver l'euro...
pour sauver le système bancaire

L'accord pour le sauvetage de l'UE a été fort laborieux, ce qui a instillé le doute des marchés, pas vraiment convaincus, ni de l'engagement des États, désunis, ni de la capacité des moyens mis en œuvre à résoudre le problème.

a- Un sauvetage laborieux...

Par les traités européens, l'UE et l'euro lient la situation de chacun des pays européens à celle de tous les autres, tout spécialement au sein de la zone euro. Cependant, la solidarité de fait entre ces pays n'est pas institutionnalisée, ce qui induit tergiversations et cacophonie, les perceptions nationales de l'intérêt général n'étant pas spontanément convergentes. Mais on ne met pas en faillite un client, et l'Allemagne, d'abord réticente, a fini par accepter d'aider la Grèce pour sauver l'eurozone, car elle sait qu'elle y réalise près la moitié de ses exportations (elles-mêmes 4 % de son pib).

À en croire les chiffres officiels de l'OCDE, rien ne laissait présager le désastre grec : sur la décennie 1998-2008, la Grèce faisait quasiment aussi bien que l'Allemagne en termes de solde primaire, avec un excédent moyen de 0,5 % par an, et si ce solde était plombé de 5 points de PIB pour la charge d'une dette relativement élevée, cette dette paraissait sous contrôle, passant de 73 à 74 % du PIB sur la même période. Le déficit, autour de 4.5 % en moyenne, était en dehors des clous de Maastricht, mais rien d'extraordinaire si on se rappelle que la France et l'Allemagne ont elles-mêmes franchi la barre des 3 % en 2002, l'Ecofin refusant finalement en 2003 le rappel à l'ordre réclamé par la Commission. Cependant, elles sont revenues à l'orthodoxie dès 2005 pour la France et en 2006 pour l'Allemagne.

La Grèce avait donc la confiance des marchés, mesurée certes, puisqu'elle empruntait plus cher que l'Allemagne ou la France, et elle n'avait pas d'impossibilité à emprunter. Mais on sait maintenant que la Grèce avait maquillé ses comptes, avec les précieux conseils de Goldman Sachs, dont le vice-président Europe de 2002 à 2005 fut Mario Draghi, celui qui va, à l'automne, succéder à Trichet ! Le déficit 2010 n'était pas l'acceptable 6 % affiché, mais bel et bien un bon 15,4 % ! la moyenne 2000-2009 s'établissant à 6,9 %.

b- ... qui ne convainc pas les marchés

La dette est donc dans une dynamique d'autant plus explosive que les perspectives de croissance grecques sont nulles pour quelques années, étant donnés les plans d'austérité et les réformes structurelles mis en route. Les marchés en ont conclu que la Grèce sera très vite en défaut si rien n'est fait, avec une contagion rapide aux autres pays endettés, *via* les engagements des IF, et l'euro n'y résisterait pas. Ils ont donc spéculé contre l'euro, c'est leur métier et cela'aurait été une faute professionnelle qu'ils ne le fissent point.

Il faut donc aux pays de l'eurozone sauver la Grèce pour sauver l'euro. Naturellement, les contribuables fourmis du nord ne veulent pas payer pour les pays cigales du sud, peuplés de fonctionnaires et de retraités précoces qui se prélassent au soleil, et le font savoir à leurs gouvernements. Cependant, les pays de l'eurozone n'ont guère d'autre choix que la solidarité, même si leur perception de l'intérêt général dans le cadre financiarisé conduit leurs dirigeants à concevoir des solutions non durables : elles sauvent les banques, et plus généralement le système monétaire, ce qui est évidemment nécessaire, mais en voulant en même temps pérenniser le cadre néo-libéral, ces mesures sont purement palliatives.

La difficulté de l'État grec à se financer sur les marchés met en danger le système de la monnaie unique, dans la mesure où un défaut mettrait en grosse difficulté les investisseurs (banques, assurances et fonds d'investissement) qui lui ont fait confiance, ou qui ont parié sur sa fiabilité. C'est alors que les problèmes structurels de l'euro, longtemps niés par ceux-la mêmes qui prétendent aujourd'hui les avoir toujours décriés et tracer la voie pour les dépasser, apparaissent au grand jour : rien n'était vraiment prévu pour gérer une telle situation.

c- la crise grecque 2010-2011

Le cas de la Grèce exprime bien la voie sans issue dans laquelle les dirigeants européens se sont engagés et qu'ils ne veulent pas quitter, alors même qu'elle les mène contre le mur. Certes, sous la pression des faits, les entorses aux principes sont de plus en plus fortes, avec à chaque fois la réfutation d'une banalisation : « c'est exceptionnel, on ne le fera pas pour d'autres, puisque ce que nous faisons nous en préserve », et à chaque fois que nécessaire Trichet avale son chapeau. Cela indique seulement que dans les situations critiques, la politique est plus forte que la bureaucratie, car elle seule peut imposer les solutions d'intérêt général nécessaires.

Les difficultés grecques viennent essentiellement de ce que la Grèce était en mauvaise posture dès avant la crise, qu'elle a certes mal passée, sans doute à cause de sa structure de production (des services, non exportables, donc protégés de l'impératif de compétitivité), mais pas plus que les autres, et la profonde récession qu'a connue la Grèce a propulsé son déficit de 8 ou 10 points de PIB, comme celui de la France ou de l'Allemagne, pas davantage. Partant de haut, elle atteint le sommet plus vite que les autres, malgré des efforts plus grands.

Depuis que la crise de 2007-2008 a mis à mal les économies européennes, le mot d'ordre des dirigeants européens a évolué : de « faisons confiance à la Grèce pour se tirer d'affaire par ses propres moyens » début 2010 à « sauvons la Grèce pour sauver l'euro » à peine un peu plus d'un an plus tard, ce qui signifie en réalité « sauvons les apparences pour sauver la finance ».

À s'en tenir à l'apparence chiffrée, d'ailleurs, les dirigeants européens pouvaient espérer un redressement suffisant des comptes grecs. Selon l'OCDE, par exemple, sur la décennie 1998-2008, la Grèce a fait quasiment aussi bien que l'Allemagne en termes de solde primaire, avec un excédent moyen de 0,5 % par an. Le problème est que la dette grecque était plus élevée dès le départ, et même si elle était relativement stabilisée, passant de 73 à 74 % du PIB sur la même période, la forte charge de la dette a conduit la Grèce en dehors des clous de Maastricht, avec un déficit tournant autour de 5-6 % du PIB, mais rien de vraiment inquiétant. Et puis, que dire si on se rappelle qu'à la suite de l'éclatement de la bulle internet en 2000, la France et l'Allemagne ont elles-mêmes franchi les bornes en 2002 et failli se faire taper sur les doigts en 2003, pour finalement recevoir un simple rappel à l'ordre symbolique.

La Grèce a donc beaucoup emprunté depuis 2007 et la dette augmente exponentiellement, passant depuis de 105 à 143 % du PIB. Elle a donc eu des difficultés à se financer et pendant l'hiver 2009-2010, la situation est devenue critique : les taux s'envolaient à plus de 6%, deux fois ceux de l'Allemagne et pour rétablir la situation, et avec une croissance nulle et une dette autour de 100 %, il lui aurait fallu dégager un excédent primaire d'au moins 8 % !

L'échec annoncé de la gestion de la crise - vers l'implosion de l'euro de Maastricht

Devant l'urgence, les dirigeants européens se sont accordés au printemps 2010 sur un plan d'aide avec l'appoint du FMI, qui a obligé Trichet à accepter que la BCE rachète des titres de la dette publique grecque et que le FMI intervienne dans les affaires de l'Europe. La BCE agissant en PDR, c'était là renoncer à l'un des principes fondateurs de l'institution pourtant gravé dans le marbre des traités.

Ce plan était au fond dans le droit-fil de celui qui fut mis au point en France à la fin d'octobre 2008, par lequel l'État est intervenu, d'une part, en apportant des fonds propres pour recapitaliser les banques fragilisées, et, d'autre part, en garantissant les emprunts de la SFEF (Société de financement de l'économie française), créée dans l'urgence et dont il détient un petit tiers (le reste revenant aux banques). Mais, la SFEF a prêté aux banques en empruntant sur le marché à des investisseurs dont les banques faisaient plus de la moitié du volume ! Curieux, mais l'État est ainsi parvenu à sauver le système de paiements français, en permettant aux banques de continuer à se refinancer auprès de la BCE. Cependants rien n'est réellement réglé, la dette publique s'est « simplement » substituée à la dette privée. Le mur de la dette va donc inéluctablement se dresser devant les États.

a- 2010, une amorce de PDR pour la zone euro

En principe, l'eurozone aurait dû s'étendre à toute l'UE et la fonction de PDR revenir au SEBC (Système européen de banques centrales, composé de la BCE et des 27 BC de l'UE). Pour gérer l'eurozone, fut institué l'Eurosystem, réunissant la BCE et les 17 BC de la zone, chargé de la politique de l'euro, mais qui n'avait pas de PDR. La crise a cependant obligé la BCE à se livrer à des opérations « non conventionnelles » formellement interdites de rachat de titres souverains. Cependant, ses moyens sont limités (60 milliards d'euros, le budget de l'UE) et les dirigeants européens ont imaginé de faire émerger un faux PDR, le FESF, qui ne bat pas monnaie mais l'emprunte aux États, ou avec leur garantie, pour la reprêter. Autrement dit, le PDR de dernière instance n'est plus la nation, mais les contribuables.

Selon le même principe d'intervention de 2008, l'accord du 2 mai 2010 permettra aux États cette fois, non plus aux banques, de continuer à accéder aux marchés grâce à la garantie de l'ensemble des États de la zone. Le maillon faible étant la Grèce, un prêt de plus de 110 Mds doit lui être accordé, dont 80 par les pays de l'eurozone et 30 par le FMI, en contrepartie d'un engagement à mettre en œuvre un plan d'ajustement structurel plus que draconien. Dans les jours qui suivent, sous la pression de marchés sceptiques et des États-Unis qui craignent la contagion au monde entier, le FESF (Fonds européen de stabilité financière) est créé pour 3 ans et doté de 750 Mds pour assister financièrement les États de l'UE, en empruntant avec la garantie des pays de l'eurozone, aux conditions du marché. En renfort, la BCE autorise les banques centrales de la zone à acheter de la dette grecque sur le marché secondaire (donc décotée) : elle intervient ainsi en PDR « hors statuts », illégalement en regard de son interdiction explicite par le traité de Lisbonne.

b- l'inefficacité des procédures prévues

Ce plan ne pouvait raisonnablement pas fonctionner, dans la mesure où il consistait à endetter les uns pour désendetter les autres, ce qui peut marcher si « les uns» ont les moyens (la croissance) et la volonté de prendre en charge le désendettement. Mais pourquoi un capitaliste allemand, par exemple, qui doit trouver des débouchés à sa production et dont l'eurozone est un terrain de prospection important, irait-il payer pour pouvoir continuer dès lors qu'il est le meilleur ? C'est le rôle de son État que d'en décider, mais la politique revient alors dans le jeu : la bureaucratie nationale doit composer avec les diverses forces sociales et définir l'intérêt général, ce qui est en réalité l'expression de sa gestion (dans son propre intérêt) du rapport de force entre classes sociales.

Le répit fut effectivement de courte durée, les marchés n'ayant pas été plus convaincus que nombre d'experts de l'efficacité de l'action entreprise, notamment parce que l'austérité imposée conduisait tout droit à la récession.

En effet, il est impossible qu'un pays endetté à plus de 100 % puisse se dés-endetter avec une croissance négative autour de – 3 % et des taux autour de 5% (cela exigerait un excédent primaire de plus de 8 %, donc un excédent courant à plus de 13 % du PIB !).

Quand il fut évident que la Grèce ne pourrait très bientôt plus faire face à ses engagements financiers, cela déclencha de nouveaux psychodrames à la BCE et dans le couple franco-allemand, jusqu'à ce que l'Allemagne, plus que réticente jusque-là, finisse par donner son accord à un second plan, et que Trichet mange son béret. Car l'Allemagne refuse une nouvelle aide, elle veut punir les irresponsables qui ne jouent pas le jeu de l'euro : les États qui vivent au-dessus de leurs moyens en se disant qu'un parapluie s'ouvrira toujours à temps s'ils n'honorent pas leur signature ; mais aussi les investisseurs privés qui ont inconsidérément acheté de la dette grecque, car ce serait les encou-rager à continuer à engranger des profits sur le dos des contribuables euro-péens, dont les siens apportent la plus grande part. Mais, encore une fois, elle devra accepter que le PDR de fait, les États de l'eurozone, intervienne.

c- l'accord du 21 juillet 2011...
Qualifié d'historique, d'exceptionnel, d'amorce de solution pérenne en es-quissant le futur FME, l'accord du 21 juillet est en réalité du même tonneau que le précédent, même s'il constitue une avancée vers la mutualisation des risques, et il ne résiste pas à un examen quelque peu objectif. Souffrant des mêmes tares, le plan de 2011, s'il est un jour mis en œuvre, ne sera pas plus efficace que le précédent. D'ailleurs les marchés, à qui l'on a encore laissé les rênes, même si les politiques veulent faire croire à une reprise en main autoritaire, ont très vite rendu leur verdict : très insuffisant, copie à refaire.
Pourtant, l'allègement de la charge de la dette grecque sera significatif. D'une part, le champ d'action du FESF est notablement élargi (les européistes y voient un pas de plus vers le fédéralisme) afin de participer à la restructura-tion trop longtemps retardée de la dette grecque : d'abord, en prêtant à un taux réduit à 3,5 % (au lieu des 5 ou 6 % précédents) et sur des maturités globalement doublées (de 15 à 30 ans au lieu des 3 à 5 ans précédents) ; en-suite, par des achats de titres sur les marchés tant primaire (directement aux

États) que secondaire (au prix du marché, avec la décote en vigueur, de l'ordre de 50 %) ; enfin, il pourra intervenir tant préventivement que curativement. Le FESF, c'est-à-dire les États, est promu PDR à la place de la BCE, mais un PDR financier, qui ne bat pas monnaie : la planche à billets est sous clé. Mais la dette potentielle des États croît.

Le secteur privé participe aussi, c'était une condition *sine qua non* pour l'accord de l'Allemagne, opposée à toute idée de taxe bancaire avancée par la France et la BCE, les banques faisant un effort « significatif » en acceptant, dixit l'IFI (Institut financier international), leur lobby mondial, qui a négocié l'accord, de perdre 21 % sur leurs créances jusqu'en 2020, ce qui ferait 3 Mds pour les banques françaises. Cette restructuration de dette pourrait finalement se traduire par une perte de 35 à 50%, selon certaines institutions financières. Officiellement, les 21 % seront absorbés sans douleur excessive par les réserves des bilans. Mais il est certain que les clients devront payer.

D'autre part, la BCE acceptera en refinancement des banques, des titres grecs que le FESF aura garantis, permettant ainsi le fonctionnement du système grec et donc européen de paiements pendant l'« événement de crédit » (supposé devoir être de courte durée).

d- ...est un coup d'épée dans l'eau

Au total, un effort important, donc, mais qui ne sauvera ni la Grèce, ni l'euro, parce que les marchés ont compris que le plan d'aide prévoit la fin de l'intervention de la BCE en tant que PDR de fait, ce qui va certes vers la neutralité monétaire, c'est-à-dire sans inflation induite par de la création monétaire par la planche à billets, mais pas vers la nécessaire affirmation de la solidarité collective « sans faille » proclamée par les gouvernements. Et parce que le renforcement du FESF, second point crucial, ne convainc pas : PDR de remplacement, aurait-il, avec ses maigres 750 Mds (dont 60 venant de la Commission, 440 des pays de l'eurozone et 250 du FMI), les moyens d'aider l'Italie ou l'Espagne (plus de 2500 Mds de dette à elles deux), voire la France, à faire face à une crise aiguë ? quant à ses interventions sur le marché de la dette, seront-elles suffisantes pour rassurer les marchés, sachant de plus que l'Allemagne les a refusées jusqu'au dernier moment et que certains, tel M. Barroso, les discutent encore ? Au total, une solidarité de façade.

Il reste cependant, et c'est plus ennuyeux, que les fonds sont abondés par les pays de l'eurozone, selon la clé de participation au capital de la BCE, donc selon le poids des pays dans le PIB européen. Ce qui veut dire qu'une fois encore, on désendette l'aidé, la Grèce en l'occurrence, en endettant les aidants (15 Mds pour la France), dont font partie les aidés : en principe plus du tiers de l'aide viendrait de pays eux-mêmes sur la sellette ! Telle qu'elle est conçue, l'aide va encore enfoncer dans la récession ceux qui ont besoin d'aide parce que la récession les met en difficulté. C'est tout le dilemme des potions néolibérales administrées dans le cadre de plans d'ajustement structurel.

Quoi qu'il en soit, tout cela reste soumis à l'acceptation des peuples, puisque les règles de fonctionnement de l'UE exigent l'unanimité pour de tels engagements, ce qui ne devrait pas manquer, dans la mesure où le couple franco-allemand a bien en main les rênes de l'attelage, au moins jusqu'ici. Les parlements nationaux entérineront donc très probablement ces décisions, mais cela ne se fera pas sans discussions et amendements plus ou moins à la marge. Encore une occasion de cacophonie entre dirigeants et une source de doutes sur les marchés. Sans compter que l'apparente résignation globale des peuples ne peut pas écarter tout risque de troubles sociaux, car l'indignation monte.

e- des lendemains qui déchanteront

Dans l'urgence, il n'est guère possible d'envisager autre chose que la continuation du passé : pour l'eurozone, gagner du temps, encore, par des interventions « non conventionnelles » de la BCE. Si besoin est, en cas de crise de liquidité, la BCE transgressera une fois encore ses règles statutaires et sa rigidité doctrinale, par pragmatisme, pour injecter des euros en masse[36]. Le FESF sera éventuellement mis à contribution, ses moyens seront accrus, après moultes discussions et hésitations. Mais cela ne réglera rien : dans la mesure où le vrai problème est celui de l'insolvabilité de certains pays, traiter cette question en termes d'illiquidité est cautère sur jambe bois. Le problème est celui de la monnaie européenne sans solidarité européenne.

---

36 - Mais à se gaver de titres risqués, la BCE pourrait voir son bilan se dégrader et exiger une recapitalisation : qui paierait ? Encore les contribuables, allemands et français principalement ! et pas les plus riches, la suppression de l'ISF ne sera pas compensée par les symmboliques mesurettes envisagées.

Les États-Unis et la Fed du monétariste Ben Bernanke se gargariseront du re-tour à Keynes pour faire de l'accommodation monétaire, c'est-à-dire injection massive de dollars (le QE3 se profile à l'horizon), pour accompagner la re-lance de la consommation par des mesures relevant du keynésianisme stan-dard et qui rappellent beaucoup celles qui furent adoptées par la gauche à son arrivée au pouvoir en 1981 ! (emplois publics et transferts sociaux).

On pourrait penser que les É-U ont opté pour l'inflation, mais, il n'est pas sûr que l'argent aille aux entreprises productives plutôt qu'à la spéculation, spécialement sur les marchés d'actions. Avec la financiarisation, l'inflation monétaire ne se traduit plus par l'inflation des prix des biens et services, mais par celle des actifs ou des profits financiers. Quant à l'idée de B. Obama de financer un plan de relance par l'impôt sur les hauts revenus, cela irait en principe dans le sens d'un soutien à la consommation sans aggravation du déficit, mais ce supplément de consommation risque d'aggraver le déficit des paiements et faire chuter le dollar, ce qui est peut-être le but recherché (étant donné le statut international du dollar, cela ne gènerait pas beaucoup les É-U). La suite risque fort d'être celle que l'on doit attendre quand l'économie réelle manque de fond : bulles et krach.

Au total, le cours des événements montre, à qui veut le voir, que l'on ne pourra pas continuer longtemps à gérer les économies dans le cadre néo-li-béral. Seul un changement de cap radical peut remettre les économies en ordre de marche.

Chapitre 4

Contre la dette et la crise, la République

La question de la dette est focalisée sur le cas grec, mais elle concerne aussi les autres économies, qui sont tout aussi fragilisées. Car il faut bien comprendre que la crise de la dette, qui éclate en Europe parce que la malformation de l'euro empêche de recourir, comme aux Etats-Unis, au palliatif de la planche à billets, est au centre du problème économique mondial, parce qu'elle est la phase terminale de la crise économique originelle, celle des années 60-70. D'abord éludée par la financiarisation et l'endettement privé, cette crise est réapparue dans la crise financière, elle-même surpassée par l'endettement public, et elle arrive maintenant au bout du chemin. Le cours des événements s'accélère et le crash de la dette publique va d'abord mettre en péril la « solution » américaine et obliger, suite au crash général, à refermer cette parenthèse néo-libérale, au niveau européen et au niveau mondial, parce que dans ce cadre, aucune des portes de sortie envisagées n'est praticable.

Mis sous perfusion au début de son agonie au printemps 2010, l'euro est désormais en soins palliatifs. Les marchés réclament la sécurité qu'apporterait le fédéralisme fiscal, c'est-à-dire la solidarité intergouvernementale institutionnalisée, seul moyen d'éviter les désaccords et interminables négociations avant tergiversations pour la mise en œuvre. Cela exigerait une révision profonde des traités, signifiant l'acceptation de transferts de souveraineté inenvisageables en l'état actuel des choses. Les gouvernements essaient pourtant de tracer quelques perspectives en ce sens, quant à une meilleure gouvernance de l'UE et de l'euro. En réalité, les européens sont totalement désaccordés et cherchent à gagner du temps, ballottés par les vents mauvais de la crise de la dette.

Quoi qu'il en soit, en toute hypothèse, c'est la fin de l'euro tel qu'il fut conçu. Et si la crise de la dette induit celle de l'euro, elle induit aussi celle du non-système monétaire international, ne serait-ce que parce que la chute de l'euro revaloriserait le dollar et raviverait la guerre des monnaies qui couve avec la Chine, détentrice de milliards de dollars alors que le système des paiements en manque. La crise est globale, pas seulement financière, économique et sociale, et une reconstruction globale de l'économie-monde est inéluctable.

L'impasse néo-libérale

Dans l'immédiat, que peuvent faire les gouvernements européens ? Punir ou aider ? Réduire les dépenses ou augmenter les impôts ? Par nature, la dynamique financiariste exige des coupes budgétaires, mais il y a les électeurs, et c'est tout le problème de la « prise de décision [démocratique] en temps de crise », qui ennuie les eurocrates.[37]

a- l'impasse européiste

On ne franchira certainement pas le mur de la dette en augmentant les prélèvements obligatoires : ils ne seraient efficaces que s'ils concernaient les classes moyennes, nombreuses, mais le néo-libéralisme lamine déjà inexorablement leurs revenus. En effet, la pauvreté s'accroît et à moins de taxer les minima sociaux…

Quant à « faire payer les riches », si les néo-libéraux finissaient par s'y résoudre, cela ne serait pas, au regard des sommes en jeu, de grand rapport autre que symbolique, l'essentiel des revenus financiers échappant à l'impôt, sauf à réaliser une réforme fiscale d'envergure[38]. Sans croissance, le rendement de l'impôt ne pourra pas être significativement accru. Même le FMI met en garde contre des politiques d'austérité qui feraient avorter la reprise (la Grèce va d'ores et déjà subir une récession de l'ordre de 10 %, ce qui ne va pas faire entrer des recettes fiscales et enlève tout espoir de la voir tenir ses engagements de réduction du déficit).

En diminuant les dépenses, alors ? C'est très délicat, tant elles ont déjà subi de telles coupes qu'on « arrive à l'os », c'est-à-dire que la loi de Wagner tant vilipendée par les libéraux revient sur le devant de la scène, sous le double effet de la tendance continue à la socialisation des besoins et de la résistance crois-

---

37 - Voir par exemple le discours de L. B. Smaghi, à Poros, le 8 juillet 2011, alors membre du comité directeur de la BCE : « European democracies and decision-making in times of crisis » (ecb.europa.eu). Il y regrette que des institutions européennes inadaptées conduisent à retarder la prise de décision jusqu'à l'extrême limite, ce qui ne fait qu'accroître les difficultés. Notamment parce que les gouvernements et citoyens des États membres font passer leur intérêt national avant celui de l'Union !

---

38 - Voir T. Piketty, E. Saez et C. Landais, *Pour une révolution fiscale*, Seuil.

sante des populations à la perte de l'existant[39]. Contre toute évidence empirique (que l'on pense au nécessaire cinquième régime de la sécrité sociale, l'assurance dépendance), mais soucieux de pouvoir réduire les dépenses, les libéraux s'évertuent à nier l'existence de cette loi en arguant de l'impossibilité de la fonder rationnellement dans le modèle néo-classique ! Exactement comme ils nient la crise parce que leur modèle les empêche de la théoriser ! Réduire les dépenses est donc très difficile. L'État français a bien tenté d'y parvenir *via* la décentralisation, en transférant des compétences aux collectivités locales, lesquelles ont pu faire face un temps, en augmentant la fiscalité locale (il leur est interdit d'emprunter pour financer le fonctionnement). Cependant, si pour elles aussi les vaches grasses sont finies[40], les besoins sont là, principalement, en matière sociale, le financement du RSA. Quoi qu'il en soit, les chiffres montrent une grande stabilité de la part des dépenses de protection sociale dans le PIB.

Quant à la solution traditionnelle de l'inflation, elle est totalement contraire à l'esprit de l'institution de la monnaie unique, avec banque centrale indépendante dédiée au seul objectif de stabilité des prix. S'il fallait en venir à cette extrémité, les faucons européens, ultra-orthodoxes qui souhaitent déjà durcir les conditions de l'aide, en refusant notamment que la BCE intervienne sur les marchés pour racheter de la dette décotée des PIIGS, s'y opposeraient fermement afin que les principes ordo-libéraux ne soient pas plus longtemps bafoués. Il en résulterait un tel désordre politique, tant au sein des États membres qu'entre eux, avec de tels effets désastreux pour l'euro (perte de crédibilité, taux exorbitants, etc.), que les européistes les plus réalistes imaginent contourner le problème en réclamant que les gouvernements se résolvent enfin à mutualiser les dettes souveraines, ce que souhaitent depuis longtemps les marchés, en émettant des euro-obligations, les fameux eurobonds tant réclamés par certains.

---

39 - Adolph Wagner, économiste de l'École historique allemande, avait énoncé, à la fin du 19ème s., cette loi tendancielle selon laquelle les progrès de la civilisation tendraient dans le futur à faire hausser la part des dépenses publiques dans l'économie (infrastructures et socialisation de la consommation). Il est vrai que le développement du système financier permet aujourd'hui de financer les infrastructures (route ou fer, etc.) sur épargne privée, que se développent les partenariats public-privé, etc., mais la tendance reste.

---

40 - Cf. Michel Cabannes, *Les finances locales sur la paille ?*, Le Bord de l'eau, 2011.

Ce serait le pas de plus qu'ils espèrent vers le fédéralisme, économique, puis fiscal si possible, un pas vers ce gouvernement économique de l'UE dont il est si souvent question sans que cela avance. Parce que cela ne peut pas avancer : ce n'est pas une question de volonté ou de courage, comme certains, qui veulent y croire, le disent, mais une question de souveraineté, tout simplement. Remettre à une agence européenne la gestion des emprunts des pays de la zone est difficilement praticable car c'est la négation des souverainetés nationales : cela revient à régler le problème de la dette souveraine en niant la souveraineté ! Quel État membre va accepter que des fonctionnaires européens aient un droit de regard sur ses affaires budgétaires, lui refusent par exemple le droit d'emprunter pour « boucher le trou de la sécu » au motif que ses médecins sont trop bien rémunérés ou que ses assurés consomment trop de médicaments inutiles ? Qui va accepter qu'un fonds européen engage les impôts payés par les nationaux pour sauver les banques qui ont imprudemment prêté à un « pays qui ne travaille pas et ne paie pas d'impôts ». Les réactions de la Finlande, qui réclame des garanties grecques pour sa participation au plan d'aide, ou des Pays-Bas : expulsons les irresponsables qui ne respectent pas les règles et se sur-endettent, sont significatives.

Sans compter que cela impliquerait une révision du Traité de Lisbonne, et que les pays hors zone euro verraient d'un mauvais œil que cela soit discuté sans qu'ils soient parties prenantes aux débats. Et le temps que cela prendrait !

Plus généralement, il ne peut y avoir de fédéralisme économique sans fédéralisme fiscal, sans véritable budget de l'Union, sans quoi il faudrait à chaque difficulté de l'un ou de l'autre discuter au cas par cas la nécessaire redistribution entre États membres. Le fédéralisme fiscal suppose le consentement à l'impôt et une instance politique de gouvernement, c'est l'État-nation. Les ordo-libéraux de gauche (de gouvernement), qui pensent toujours pouvoir évacuer la politique de l'économie, sont dans une totale illusion.

b- le besoin de nation

Il n'y a pas de solidarité européenne parce qu'il n'y a pas de nation européenne, parce que la zone euro est en réalité une zone mark aux effets comparables à ceux du bloc or des années trente, mais en plus rigide parce que les parités sont irrévocablement fixes par engagement des États membres. Contestant l'extrême orthodoxie des autorités, Keynes considérait que l'« on n'a jamais inventé de système plus efficace que l'étalon or pour dresser les intérêts des nations les unes contre les autres » : l'impératif de compétitivité conduit à courir après celle du pays leader, et l'Amérique, disait-il en 1925, va nous imposer le prix de son maïs et de ses jus de fruits, donc l'austérité salariale, sans espoir de croissance et avec risque de rejet de la société libérale. Avec l'euro, c'est pire.

La monnaie est spécifique de la nation, on l'a dit : elle résume le niveau de la productivité, l'état du rapport de forces entre classes et les modalités de redistribution qui en découlent. Faire une monnaie unique pour des économies structurellement différentes impose aux plus faibles de s'adapter aux conditions de viabilité de cette monnaie, conditions imposées par le pays économiquement le plus fort.

Si les peuples ne supportent pas les sacrifices nécessaires, soit ils reprennent leur liberté, soit le conflit peut dégénérer. En empêchant les dévaluations, la monnaie unique est typiquement un support de l'impérialisme : ce n'est pas la nation qui porte la guerre, mais bien le capitalisme, « comme la nuée porte l'orage », précisait Jaurès.

Et les alter-libertaires, qui opposent à l'idée de nation les conséquences qu'elle aurait eues *via* le nationalisme des années trente ...repli protectionniste, chômage et misère, guerre, etc. confondent causes et conséquences, mais aussi internationalisme et universalisme béat[41]. Ceux-là, qui hypostasient l'individu, ignorent les analyses de F. Perroux sur les rapports de force internationaux. Et encore plus celles du même Jaurès : « un peu d'internationalisme éloigne de la patrie ; beaucoup d'internationalisme y ramène. Un peu de patriotisme éloigne de l'Internationale, beaucoup de patriotisme y ramène », écrivait-il dans *L'armée nouvelle*.

Sans nation, c'est-à-dire sans souveraineté monétaire, la monnaie est laissée au marché, vu, non comme instrument des banques, assurances et fonds d'investissement, mais comme simple instrument des échanges. Cette négation de la structure de classes de l'économie permet de penser une gestion mo-

---

41 - Voir le débat de juillet 2011 autour de la surprenante (a priori) prise de position de membres du Conseil scientifique d'ATTAC.

nétaire alternative par simple changement d'orientation politique , pour les plus keynésianistes, ou par changement d'élite politique pour changer ladite orientation, pour les plus « alter ».

C'est le socialisme utopique dévoyé par sa mise au goût du jour : au début du 19ᵉ s., il s'agissait, avec les idées de mutualité, de solidarité (pas de classe, mais d'individus dans l'échange), de corriger le marché *ante festum*, en intervenant sur la distribution primaire des revenus ; à la fin du siècle, le solidarisme reprenait le flambeau en considérant, cependant, qu'il était plus efficace d'accepter le jeu du marché et de le corriger *post festum*, par la redistribution ; aujourd'hui, les idées libertaires se retrouvent : soit, inodores, incolores et sans saveur, dans le social-libéralisme ; soit, plus radicales dans le discours, dans la contestation menée par la société civile, en proximité avec une doctrine sociale de l'Église quelque peu gauchi(sé)e[42]. À la fin du 19e s., au moment du débat sur les retraites et contre Jaurès, le mouvement anarchiste voyait dans l'État le bras armé de la bourgeoisie et préconisait un système par capitalisation ! Aujourd'hui, le rejet commun de l'État et de la nation fait se rejoindre ordo-libéraux sociaux et libertaires au sein du social-libéralisme[43] et dans l'acceptation de l'Europe de Maastricht.

Protéger l'économie européenne, ce n'est pas opposer les salariés européens aux salariés chinois, comme on l'entend trop souvent, c'est empêcher les capitalistes européens de réduire le niveau des acquis sociaux européens au niveau chinois. La solidarité de classe ne passe pas par la négation des classes : quel que soit le degré de soumission de la société civile à l'État, la négation de l'État ne la libérera pas si le rapport de classes n'est pas d'abord aboli, et avec lui la bureaucratie qui gère le rapport de classes.

---

42 - Nombre de « théoriciens » de la gauche de la gauche sont issus des mouvements de jeunesse chrétiens (catholiques ou protestants), ayant bifurqué vers la critique du marché là où les ordo-libéraux ont gardé la ligne.

---

43 - De même que néo-libéraux et pédagogistes se sont objectivement alliés contre l'école républicaine : cf A. Planche, *L'imposture scolaire,* à paraître aux Presses universitaires de Bordeaux.

c- l'erreur d'un simple « revival » keynésianiste

Il reste la possibilité de sortir volontairement de l'euro, même si c'est un principe statutairement impossible[44]. Cette hypothèse revient à sortir les vieux keynésiens de la naphtaline pour réutiliser les outils de l'ancien temps ! C'est ce qu'ont fait, et feront, les États-Unis, par pragmatisme, le dollar leur permettant de renouveler, sans trop de souci immédiat, plans de relance et soutien monétaire. Hélas en Europe, cela ne résoudrait rien, car le keynésianisme a échoué sur la chute de la productivité et du profit, et le néo-libéralisme n'a rien amélioré sur ce plan-là, bien au contraire ! Sortir de l'euro c'est entrer de nouveau dans la spirale infernale des années 70 : dévaluation, chômage, inflation, protection, etc., car on n'est plus dans les conditions du succès du keynésianisme.

Certes, les mécanismes globaux du modèle d'économie monétaire de production de Keynes rendent bien compte du fonctionnement de l'économie capitaliste. Ils ont fonctionné à la satisfaction générale pendant les trente glorieuses, parce que le contexte était favorable. La disqualification de la bourgeoisie, l'aura de l'URSS, la volonté de reconstruire, etc., avaient renversé le rapport de forces du côté des salariés et les gains de productivité réels permettaient de financer l'investissement de capacité et de soutenir la consommation, notamment en redistribuant.

Aujourd'hui, ces mécanismes fonctionnent négativement, car le contexte néolibéral, libéré du poids de la concurrence du modèle soviétique, a totalement changé la donne. Pour restaurer le taux de profit, la gestion des entreprises sur critères financiers (pour les grandes, il s'agit accroître la valeur actionnariale) vise d'abord, en l'état actuel de la conjoncture, à réduire le coût du travail, non individuel, mais global, ce qui peut induire une réduction de l'activité et aboutir à l'expulsion des salariés en marge de la société. Ainsi, les gains de productivité constatés depuis une dizaine d'années sont factices : ils résultent d'investissements de rationalisation qui permettent aux entre-

---

44 - Rien n'est prévu : en principe, « l'euro est une autoroute sans bretelle de sortie », mais comme toute « règle d'or », cela ne vaut rien concernant les sociétés (cf l'interdiction faite par le *Bank Act* de 1844 à la Banque d'Angleterre de faire fonctionner la planche à billets, interdiction levée dès 1847, ou le non-respect franco-allemand des critères de Maastricht, etc.)

prises de « produire moins pour gagner plus ». Il est atterrant de voir des pseudo-économistes tirer des conclusions positives de données chiffrées ambivalentes : l'évolution à la hausse du rapport produit/quantité de travail peut résulter aussi bien d'une hausse plus rapide du numérateur (le produit) que d'une baisse plus rapide du dénominateur (la quantité de travail), comme c'est plutôt le cas depuis le tournant du siècle.

Au total, tant que les analyses de la crise ne dépasseront pas ce qui unit libéraux et keynésiens, c'est-à-dire l'incapacité théorique à penser la crise de l'offre autrement que comme la conséquence d'un excès du salaire coût ou d'une insuffisance du salaire débouché, elles resteront prisonnières de la fausse alternative sortir de l'euro ou aller vers le fédéralisme fiscal.

C'est encore le cas pour ceux qui pensent pouvoir se défaire de la contrainte de la monnaie unique en faisant de l'euro une monnaie commune : c'est une illusion, car c'est simplement revenir aux parités ajustables, et donc retrouver une fausse autonomie puisqu'il faudra gérer par rapport au mark au lieu du dollar, et que rien ne garantit la stabilité future du mark. L'économisme, même hétérodoxe, confine de fait la pensée dans le cadre financiariste-mondialisateur.

Si la voie de la mondialisation libérale, libération des marchés, financiarisation et anti-république, débouche sur le mur de la dette, la réaction positive naturelle pour sortir de cette impasse est de démondialiser. Mais il ne peut s'agir pour autant de revenir aux temps anciens et retomber dans leurs travers (dévaluations compétitives, etc.). La seule voie ouverte est celle qui ramène à la république.

La voie républicaine

À la crise déclenchée aux États-Unis s'est ajoutée une crise européenne qui la renforce, car la crise de l'euro perturbe sa gestion par la Fed et le gouvernement des É-U. La crise de l'euro est donc au cœur de l'économie mondiale et la récession va nécessairement se généraliser quand ses effets récessifs s'ajouteront à ceux de l'essoufflement d'une croissance mondiale tirée par des pays émergents qui, à rente ou à bas salaires, vont très vite manquer de débouchés. La sortie de crise implique donc un réaménagement complet, à la fois interne, par le changement de modèle productif, et externe, par la reconfiguration du système des échanges internationaux, de marchandises ou d'argent (OMC et SMI sont à reconstruire).

a- finance, managers et bureaucrates

Le modèle productif actuel est créateur de richesses fictives au détriment de la richesse réelle. Le modèle social est celui du rentier. Et le tout est piloté par des bureaucraties nationales et supra-nationales, certes «élues» par les peuples, mais largement autonomisées par rapport à eux[45]. La profonde dérive de la démocratie représentative en démocratie d'opinion en est une conséquence dangereuse, qui s'exprime notamment à travers les faibles taux de participation aux élections. Et ce ne sont pas les appels à une démocratie participative qui peuvent lui rendre sa crédibilité. La légitimité de ces bureaucraties leur vient de leur expertise, disent leurs membres, alors qu'elle n'est que le produit du choix du néo-libéralisme par la classe dominante, qu'elles servent.

Cela Marx l'avait bien anticipé dans sa puissante analyse des effets du crédit sur la dynamique capitaliste : « La transformation de la production capitaliste sous l'influence des sociétés par actions [...] fait surgir une nouvelle aristocratie de la finance et une nouvelle catégorie de parasites sous forme de faiseurs de projets, lanceurs d'affaires et directeurs purement nominaux ; en un mot, tout un système de filouteries et de tromperie ayant pour base le lancement de sociétés, l'émission et le commerce d'actions. C'est la production privée sans le contrôle de la propriété privée. » (Capital, III, v.)

Ainsi, critiquer aujourd'hui la « dictature des marchés » sans désigner derrière les marchés les institutions financières et les pouvoirs d'État qui ont construit les conditions de leur prééminence, c'est passer à côté de la racine du mal. Comment réguler un pouvoir que l'on a concédé sans chercher à le reprendre ? sans revenir à la république dont il est la négation ?

La tutelle des marchés est en réalité celle des lois de l'économie capitaliste, car ce ne sont pas les agences de notation qui gouvernent, mais bien les gouvernements. Mais ils sont prisonniers des intérêts de classe qu'ils représentent, industriels et commerciaux ou purement financiers, selon l'époque, et ils n'ont d'autre choix que tenter de sauver le système qu'ils ont mis en place.

---

45 - Voir le fameux TINA (there is no alternative, il n'y a pas d'alternative) de Thatcher ou le « tous pareils, tous pourris », etc.

Se défaire de la tutelle des marchés, c'est se dégager des lois du marché, pas seulement financier, mais du marché en général, c'est-à-dire, concrètement, du capitalisme, afin de retrouver la maîtrise de l'économie et la remettre en bonne marche. Ce qui appelle à la destruction du pouvoir bureaucratique, par la restauration de la démocratie républicaine.

En effet, au niveau de l'entreprise, la bureaucratie managériale nie la démocratie en prenant le pouvoir au nom de la théorie de la création de valeur pour l'actionnaire, application de la théorie de l'agence, selon laquelle l'expert à qui est confiée la gestion d'un bien est incité à agir dans l'intérêt du propriétaire par une rémunération liée aux résultats.

Marx avait encore vu cette « transformation du capitaliste opérant lui-même en un dirigeant exploitant le capital d'autrui, et du capitaliste propriétaire en un simple propriétaire, un simple capitaliste d'argent. ». La conséquence en est que « l'homme aux écus » n'est plus capitaine d'industrie, mais rentier : si le manager lui sert des dividendes ou fait grimper le cours de l'action, peu lui chaut la gestion directe.

Quand l'industrie n'est plus profitable, les managers maintiennent la rentabilité financière des capitaux à eux confiés, en exerçant une super pression à la baisse des coûts salariaux, en développant la mise en concurrence des salariés, par la précarisation de l'emploi, les délocalisations, etc. Ils légitiment ainsi des rémunérations « extravagantes » qui font que les inégalités reviennent au niveau qu'elles avaient un siècle plus tôt, ils font remonter la pauvreté dans tous les pays, y compris aux États-Unis, pays parangon du capitalisme triomphant. Au plan national, la bureaucratie étatique et la classe politique, fortement consanguines, permettent à ces managers de se « goinfrer » parce que leur intérêt est le même : elles ne prospèrent que par la grâce du financement de la dette publique, c'est-à-dire de leurs membres devenus bureaucrates-managers qui tiennent les cordons de la bourse des rentiers. La techno-bureaucratie se développe sur la base de son expertise de gestion de l'État : les problèmes techniques, administratifs, juridiques, institutionnels, etc., sont de plus en plus « pointus » ; la démocratie s'accompagne de successions politiques et pose la question de la continuité des services (les ministres passent, les cabinets restent) ; etc[46] Elle s'auto-légitime au nom de la nécessaire séparation de l'économique et du social, répétant à l'envi qu'il n'y a pas d'alternative, appuyée par la science économique, de nombreux économistes « de marché » tenant le discours nécessaire[47].

La concurrence entre nations met cependant les bureaucraties nationales en concurrence, car pour se reproduire chacune doit satisfaire à la fois les intérêts de la classe dominante qui la stipendie et l'intérêt général du système qu'elle gère. Chacune doit à cette fin faire « mieux » que la voisine, dans la mise en œuvre des politiques que la période appelle : soutien keynésien ou austérité néo-libérale, détricotage du social ou garantie de la cohésion sociale, etc. Une complication s'ajoute, due à l'intégration européenne, qui a généré une bureaucratie européenne, mais qui a le même objectif, se pérenniser, et qui ne gère pas un État mais l'accord entre États gérés par des bureaucraties avec lesquelles elle est donc en concurrence ! Pas simple. D'autant plus que l'UE et la zone euro n'ont pas le même périmètre. Les eurobonds espérés par la Commission, soucieuse de satisfaire les marchés financiers et attentive à l'opinion de l'ensemble des États membres, le sont beaucoup moins par les bureaucraties nationales « payeuses » qui doivent aussi tenir compte de l'opinion des contribuables nationaux.

La pensée néo-libérale sied parfaitement aux bureaucraties en place, dont elle légitime l'action, et peut ainsi verrouiller le système en mettant ses œufs dans différents paniers : le panier ordo-libéral pour l'Europe, le panier ultra-libéral pour la finance, le panier monétariste pour la gestion de la monnaie. Il est urgent de « tourner la page », mais cela ne se fera pas par une simple bataille idéologique qu'il suffirait de remporter pour pouvoir refermer la parenthèse libérale par un simple changement de cap de la politique économique et sociale.

---

46 - Au passage, cette expertise suscite le « pantouflage » et la valorisation des carnets d'adresse constitués lors de fructueux allers-retours privé-public.

---

47 - Les économistes de marché sont le plus souvent à la fois universitaires et consultants ou conseillers auprès d'institutions financières, privées (banques, assurances ou fonds d'investissement) ou publiques (banque de France, Trésor, ministères, etc.), Dans ces temps difficiles, les médias font de plus en plus appel à de vrais « hommes de l'art », économistes de banque ou de fonds de gestion d'épargne, que les responsabilités obligent à moins de langue de bois.

b- le coût de la non-république

En 1945, les circonstances avaient donné aux forces populaires réunies au sein du CNR la maîtrise des forces de l'argent, mais les changements de structure (planification, nationalisation de banques, protection sociale, etc.) avaient laissé une large part aux forces du marché. Avec les trente glorieuses, le capitalisme industriel a su séduire le salariat et faire émerger une classe moyenne consumériste, et le pouvoir a progressivement échappé au peuple. Surtout quand l'industrie a commencé de peiner à tenir ses promesses, dans les années 60, et que les gouvernements ont lâché la bride à la finance de marché. Dans les années 70, quand l'inflation fut devenue inopérante, l'alternative était entre plus de république ou plus de marché. La perte d'attractivité de l'URSS et les rigidités communistes firent pencher la balance du côté du libéralisme. On connaît la suite.

Les circonstances actuelles vont permettre un retour à la république, seul à même de donner une issue positive à cette grande crise, car l'incapacité des bureaucraties à sortir du cadre idéologique qui les a faites émerger, les conduit droit dans le mur qu'elles ont dressé. Pour la suite des événements, tout est possible, mais, si l'analyse menée précédemment est juste, un crash du système actuel, sous une forme ou sous une autre, est plus que probable. La question est alors du scénario auquel on peut s'attendre.

En regard du passé, le sens de l'histoire serait qu'à la sortie de cette crise, la Chine prenne le relais des États-Unis comme eux-mêmes ont pris le relais de l'Angleterre à la faveur de la crise des années 30. Comme la Chine détient des réserves de change gigantesques, elle aurait les moyens de devenir le PDR mondial, le yuan remplaçant le dollar, comme le dollar a remplacé la livre sterling. Et il n'est pas certain qu'elle accepte longtemps, au moins du moment où le peuple aura son mot à dire, de produire la consommation des pays auxquels elle prête ses gains pour qu'ils continuent de consommer collectivement ou de guerroyer.

Mais cela ne sera pas simple, il a fallu deux guerres mondiales pour que l'histoire impose la prééminence de l'empire américain, assise sur les normes productives (technologie, gouvernance des entreprises, etc.) et consuméristes les plus avancées. La Chine n'en est pas là, elle doit d'abord inventer des gains de productivité afin de développer un marché intérieur et des classes moyennes, puis s'installer comme la puissance militaire capable de gendarmer le monde pour défendre ses intérêts d'empire. Pour le moment, elle copie les technologies les plus avancées, mais elle devra leur faire faire un saut qualitatif, ce qui prendra du temps, pendant lequel l'actuel équilibre instable du monde devra perdurer tel quel.

Quoi qu'il en soit, le « big crunch » du libéralisme se produira, soit après une grande dépression du type de celle des années 30, la situation étant fondamentalement la même[48], mais les leçons de l'histoire et le degré d'encastrement de l'État dans les économies conduisent à écarter cette hypothèse, soit, plus probablement, en aboutissement d'une longue récession générale « à la japonaise » des vingt dernières années, c'est-à-dire une longue période de croissance tendanciellement quasi-nulle.

Ce scénario « à la japonaise »[48] pourrait en effet préfigurer celui que suivra l'économie mondiale des prochaines années. Le Japon a connu, à la fin des années 80, une « exubérance irrationnelle » des marchés financiers semblable à celle qui a précédé 2008, le prix des actions et celui de l'immobilier ayant atteint des sommets vertigineux.[49] Depuis l'éclatement de la bulle en 1990, lesdits prix ont été divisés par quatre. Refusant de nettoyer les bilans en faisant la purge nécessaire du système bancaire, mais forts d'un confortable excédent commercial et du taux d'épargne élevé des ménages, les gouvernements japonais parviennent depuis ce moment à gérer la situation en faisant payer les contribuables, mais aussi au moyen d'un endettement public énorme[50] et d'une politique monétaire ultra-accomodante. Jusqu'ici, le système perdure, avec des hauts et des bas, le taux de croissance oscillant depuis vingt ans autour de zéro.

---

48 - Le krach de 29 était l'éclatement d'une bulle financière gonflée par des prêts hypothécaires fonciers (pour spéculer sur les produits agricoles, blé et coton) ; celui des *subprimes* 2008, c'est la même chose sur l'immobilier.

---

49 - Le terrain de la ville de Tokyo, valait, disait-on, celui de la Californie tout entière ! Et la superficie d'un petit rectangle blanc publié dans les pages de Libération valait un million !

---

50 - Plus de deux fois le PIB, mais essentiellement auprès des agents nationaux.

Continuer dans la voie actuelle conduira de même l'économie mondiale vers l'austérité générale : désendetter les uns, les plus faibles, en endettant les autres, est une illusion totale, puisque la recherche du profit par les marchés financiers ne laissera aucun répit. La bataille économique passera d'abord par une guerre des monnaies, déjà commencée, mais encore contenue. Cependant, la question monétaire internationale deviendra plus aiguë quand les États-Unis et la BCE (si l'euro n'a pas implosé avant) auront tant fait tourner la planche à billets, que la Chine ne pourra plus maintenir la parité de sa monnaie par rapport au dollar et qu'elle aura du mal à exporter. Avec le ralentissement subséquent de sa croissance, la Chine devra faire face à des revendications salariales et à des conflits sociaux, elle devra elle-même délocaliser vers des pays à plus bas salaires. Pourra-t-elle alors dévaluer sa monnaie sans provoquer de vives réactions de ses partenaires, étant donné que cela accroîtrait le pouvoir d'achat de ses réserves en dollar ou en euro, et donc le poids de la dette à son égard des États-Unis et de ses autres débiteurs ? Cela provoquera immanquablement de sérieux conflits et contraindra probablement les gouvernements à coordonner leur action par une coopération internationale *via* un FMI aux possibilités d'intervention accrues.

La guerre (économique) de tous contre tous est sans issue, tous le savent. L'intérêt général des nations pourrait ainsi sembler l'emporter, comme après chaque grande crise et guerre, quand sont créées des institutions internationales porteuses d'espoir de paix. Mais c'est oublier que la paix est toujours armée et que si la dynamique capitaliste oppose les nations, elle oppose plus fondamentalement encore exploiteurs et exploités.

Un concert international de nations en « équilibre de la terreur » monétaire n'autorise pas à passer les lois du capital par pertes et profits : le rentier sera toujours plus pressant pour extirper le maximum de plus-value. Les conflits sociaux conduiront forcément, tôt ou tard, à la disqualification des bureaucraties en place, mais cela pourrait dégénérer, comme l'a montré l'entre-deux-guerres, en hyperinflation et/ou solutions autoritaires. Heureusement, cela pourrait aussi créer les conditions d'un retournement du rapport de forces en faveur d'une reprise de la marche vers la république, si les forces de la raison l'emportaient.

c- la paix républicaine

Sans qu'il s'agisse de « faire bouillir les marmites de l'avenir » (Engels), on peut en effet imaginer, par exemple, que leur perception de l'intérêt général conduise les autorités étatiques à former des projets de réforme fiscale, de réglementation financière, etc., qui s'opposeraient fortement aux intérêts privés des managers, notamment des institutions financières. Étant donné les liens unissant managers, bureaucraties et classes politiques, il y aurait là un conflit d'intérêts aigu, que seule pourrait résoudre une autorité supérieure, celle d'un État délivré des liens du marché. Un État républicain serait idéalement à même de définanciariser la société et lui rendre une dynamique sociale.

Mais, on sait depuis Marx, repris par Engels, que c'est la violence qui est « l'accoucheuse de toute vieille société qui en porte une nouvelle dans ses flancs [...], l'instrument grâce auquel le mouvement social l'emporte et met en pièces des formes politiques figées et mortes » (Anti-Dühring). La violence pourra prendre une forme quelconque, elle est imprévisible, mais il est certain qu'elle devra, à l'instar des guerres qui ont conclu les grandes crises précédentes, balayer les élites en place, afin que de nouvelles, telles le CNR en 1945, puissent reconstruire et préparer l'avenir.

À court terme,
prolonger le programme du CNR

En conséquence des développements précédents, la refondation républicaine devra commencer par la réaffirmation de la souveraineté du peuple sur l'économie. D'abord, la souveraineté monétaire, car, à moins qu'il n'y ait eu révolution, le nécessaire pilotage de l'économie capitaliste devra s'appuyer sur les outils keynésiens. Pour reprendre le contrôle de la monnaie, pour une définanciarisation radicale de l'économie, il ne suffira pas de re-réguler, ni de séparer banque de dépôts et banque d'affaires ou d'interdire les ventes à découvert, seul un vrai contrôle de l'activité des banques pourra écarter le risque systémique lié à la spéculation[51]. Et cette mise sous tutelle ne sera réelle qu'accompagnée de changements institutionnels profonds, que les modernistes néo-libéraux qualifieront

---

51 - Contre la spéculation, par exemple, il faudra éliminer les paradis fiscaux, etc., toutes choses promises en 2008 par ceux-là même qui en tiraient profit ! mais il ne suffira pas de prendre de simples décisions d'interdiction.

d'archaïsme ou de ringardisme, preuve que cela touche juste. La nationalisation est une modalité parmi d'autres, mais la plus évidente, l'objectif ultime étant l'élimination du danger bureaucratique par la démocratie sociale (syndicats, comités d'entreprise, etc.[52]).

Ensuite, la réduction des inégalités. Une réforme fiscale redistributive[53] et le retour au financement direct de l'État par la banque centrale iront dans ce sens, car le financement du déficit par les marchés enrichit le rentier en transférant de la richesse des contribuables vers les créanciers de l'État. La république doit faire l'inverse, c'est-à-dire euthanasier le rentier, ce que réclamait déjà Keynes, en utilisant aussi la planche à billets pour lui administrer en complément la potion douce d'une inflation maîtrisée et acceptée.

Le marché du travail laissé à sa propre dynamique est l'autre source essentielle des inégalités, et les pressions constantes à la baisse du salaire direct, la précarisation, les « licenciements financiers », etc., vont à l'encontre de la place de chacun dans la république sociale. Là encore, la solution dépendra du curseur du rapport de forces, le rétablissement d'un contrôle administratif étant une mesure minimale. Quant au salaire socialisé, il conviendra de mettre au point le financement d'une protection sociale protectrice et sociale !

Les inégalités territoriales seront réduites si les services publics redeviennent publics : santé (médecine, libérale ou hospitalière), trains, routes, eau, gaz, électricité, etc., devront revenir dans le giron de la fonction publique. Qui a écrit : « L'école économiste de nos jours, de qui le laisser faire, laisser passer constitue toute l'économie politique et toute la science sociale, ne manquera pas de faire à la construction et à l'exploitation des chemins de fer par l'État l'éternelle objection tirée de la prétendue incapacité de l'État à faire aucune affaire. […] Les emplois de chemins de fer deviendront entre ses mains des sinécures grassement payées à distribuer par le népotisme et le favoritisme politique. […] les lignes de chemins de fer coûteront cher et ne rapporteront rien. […] l'État fera des pertes qui retomberont lourdement sur les contribuables. […] S'il est vrai que

---

52 - Ce sont peut-être là des notions que la créativité sociale fera passer plus tard pour totalement ringardes ! Cela mettrait au moins fin au scandale des rémunérations des managers et affidés : bonus, stock-options, retraites chapeau, etc.

---

53 - Forte progressivité de l'impôt sur le revenu, droits de succession significatifs, etc.

l'initiative individuelle, stimulée par la libre concurrence, effectue mieux que qui que ce soit les services d'intérêt privé, il l'est également que l'initiative collective, sous le contrôle de la publicité et de la discussion, effectue mieux que n'importe qui les services d'intérêt public. » ? Léon Walras !

Ces mesures, plus ou moins immédiates, ne seront possibles qu'à l'abri d'une dose de protectionnisme, ce qui n'entraîne pas nécessairement de représailles et de contraction générale des échanges, si les relations internationales sont dégagées de la contrainte d'équilibre des paiements extérieurs.

À plus long terme, pacifier les relations internationales

L'euro tel qu'il a été construit n'a pas encore implosé, mais il est condamné. Pourtant, dans la guerre des monnaies qui s'annonce, face aux mastodontes que sont déjà Chine et États-Unis, les nains politiques ne pourront pas défendre leurs intérêts s'ils ne s'unissent pas. Les européens n'existeront qu'à travers une UE cohérente et solide, une UE dotée d'une vraie monnaie émise par une BCE non indépendante, d'un pouvoir fiscal pour pouvoir redistribuer, une UE solidaire, bref, républicaine.

Quel que soit l'habillage institutionnel, cela passerait nécessairement par du fédéralisme politique[54], et cette UE aurait enfin tous les traits d'une nation, une vraie révolution ! Quelques esprits sont prêts, les autres il faut les y préparer, afin que les peuples fassent en sorte que l'objectif des États soit la construction de cette nation, sans quoi il n'y a pas d'espoir d'éviter la guerre des monnaies, voire la guerre tout court. Est-il si utopique d'imaginer des États-Unis d'Europe, espace keynésien régional, dans un monde multipolaire pacifié par de nouvelles institutions internationales ?
Jaurès encore : « Même si [les nations] n'avaient été jusqu'ici que des orga-

---

54 - Certains, souverainistes raisonnables ou fédéralistes prudents, imaginent une confédération de nations à la J. Delors, mais ce ne peut être que transitoire, pour les raisons précédemment évoquées et parce que l'histoire des Etats-Unis l'a expérimenté : les États fraîchement indépendants, qui se sont confédérés en 1777, ont très vite rencontré les mêmes difficultés que l'UE aujourd'hui pour coordonner leurs politiques économiques et sociales, butant notamment sur la question fiscale, ce qui les a finalement conduits, pour les résoudre, à se fédérer, en 1787.

nismes de force, [...] c'est dans les grands groupements historiques que doit s'élaborer le progrès humain. Niant la réalité des classes, les adversaires de la nation « affectent d'oublier que même dans les pays démocratiques la guerre peut être déchaînée sans le consentement du peuple, à son insu, contre sa volonté ! ». Si le peuple a, sinon la maîtrise totale de la nation, au moins une bonne capacité d'influer sur son cours, il pourra organiser les rapports internationaux de sorte qu'ils ne dressent plus les nations les unes contre les autres, comme le faisait le système de l'étalon or, et comme le fait encore le SMI actuel qui laisse les parités fluctuer au gré de marchés financiers totalement spéculatifs.

Un retour au Plan Keynes de Bretton Woods peut donner la clé : pour éviter que l'équilibrage des balances des paiements déficitaires n'impose aux pays concernés un ajustement par l'austérité et la recherche agressive de compétitivité, une institution supranationale leur fournit une « monnaie » purement véhiculaire qui leur permet de faire face au problème de liquidité sans le faire peser sur les salariés. Il s'agit en réalité d'une sorte de système de troc différé multilatéral, géré par une Union de compensation des déficits et fournissant *ad libitum* les moyens d'échange nécessaires.[55] Cette « monnaie » ainsi conçue est en principe totalement neutre, ce qui est réaliste si l'euthanasie du rentier a supprimé la dimension argent de la monnaie (voir supra, chap. 1).

Cela suppose que les économies convergent, sans quoi une redistribution excessive pourrait exacerber des forces centripètes. Cette convergence ne sera pas spontanément obtenue par la seule grâce des échanges internationaux, contrairement au dogme de la doctrine libérale. Cela ne s'est pas produit, et cela ne peut pas se produire, ni dans le monde en général, où l'on peut certes noter, dans le cadre de l'OMC, un certain rattrapage entre certaines nations, mais accompagné d'une forte aggravation des disparités régionales, ni au sein de la zone euro, où la politique de la concurrence tient lieu de politique industrielle et conduit au même résultat.

Seule une politique industrielle et commerciale affirmée et coordonnée peut faire converger des économies structurellement différenciées, ce qui implique

---

55 - Dans [7], pp. 12 *sqq.* le lecteur trouvera une présentation plus poussée de cette question.

une redistribution des moyens que les « bandes de finance » (Jaurès) ont exclue parce que s'opposant à leur dessein. La république peut, doit, s'atteler à cette tâche, l'échec du libéralisme lui en aura donné l'opportunité et le nouveau SMI les moyens.

L'État peut retisser le tissu industriel, seul créateur de richesse et donc condition de la souveraineté, au niveau où les processus productifs, mais aussi les réseaux commerciaux et financiers, sont suffisamment intégrés. Une Europe territorialement redéfinie peut être ce niveau, où les outils keynésiens retrouveraient leur efficacité dans cette nouvelle configuration sans contrainte extérieure et avec rentier maîtrisé. Une économie mondiale constituée d'espaces régionaux keynésiens, autonomisés mais solidaires, ne serait-ce que par obligation, préfigurerait cette Internationale que Jaurès appelait de ses vœux, intégrant le prolétariat et par laquelle « l'humanité à peine ébauchée se réalisera ».

Conclusion

Ainsi, pour éluder la crise du profit, le néo-libéralisme a généré un tel endettement privé spéculatif, que l'inéluctable crise financière terminale a conduit les États à socialiser les dettes privées, dressant ainsi un mur de dettes souveraines bien trop haut pour qu'ils puissent le sauter.

À persévérer dans la voie actuelle, les peuples risquent la solution autoritaire et, à terme, l'hyperinflation ou la guerre. Ils n'éviteront l'impasse néo-libérale qu'en se réengageant sur la voie de sortie du capitalisme rentier et de ses recommandations régressives.

Avant même la morale, la raison appelle la République.

Épilogue
L'heure de la République

Depuis la fin de l'été, les événements autour de la crise de l'euro se sont accélérés, et si en cette mi-novembre, le dénouement n'est pas encore en vue, les analyses du chapitre 3, illustrées par le plan d'aide à la Grèce du 21 juillet, ne sont pas spécialement invalidées. Le nouveau plan d'aide, du 27 octobre, tout aussi historique et définitif que le précédent, est tout aussi fragile, pour les mêmes raisons, au point que les interrogations sur la pertinence de ces successions de plans se répandent jusque dans les milieux les mieux disposés à l'égard de l'UE et de l'euro. Des économistes jusque-là optimistes rejoignent le camp des pessimistes, imaginant des reconfigurations de l'UE plus ou moins radicales. Le président français lui-même vient de plaider pour une Europe à deux vitesses : la zone euro formant une fédération et le reste une confédération. Les dirigeants européens échouent à arrêter la décomposition de la zone euro, faute d'une stratégie fondée sur un diagnostic adéquat permettant de définir des mesures efficaces.

Les inflexions stratégiques constatées, quand il ne s'agit pas de retournements, résultent de la force accrue des contradictions encore contenues dans les précédents plans et qui, de plus en plus manifestes, font renâcler ceux que le leadership du couple franco-allemand écarte de la direction des opérations. Car les décisions de la zone euro engagent toute l'UE, tandis que c'est clairement l'Allemagne qui mène le jeu, laquelle doit ménager l'intérêt économique de ses exportateurs, et donc sauver l'euro, tout en assurant sa légitimité politique, sa coalition au Parlement et la Cour constitutionnelle ayant, tout récemment encore, réitéré leur opposition à tout engagement sans limites. De plus, la BCE, oubliant l'inflation, élargit le principe de ses « procédures non conventionnelles », d'intervention sur les marchés, en parfaite entorse aux Traités et cela crée de fortes tensions en son sein. Elle intervient pour de bonnes raisons pragmatistes, puisqu'il faut bien sauver le système des paiements européens, donc les banques, y compris celles qui spéculent, et parce qu'elle seule peut le faire, même si c'est en contravention avec son statut.

Pour limiter ces interventions de la BCE, par ailleurs contrainte par ses faibles moyens, les européens ont décidé, le 27 octobre, de renforcer le FESF. Cette voie est une impasse, rappelons-le, puisqu'il s'agit de mettre en place un PDR financier, forcément inopérant. En outre, la méthode retenue, qui introduit un effet de levier (prévu de 4 à 5, selon les besoins), appartient à la panoplie de ceux-là même qui ont causé les dégâts que l'on essaie de réparer et que l'on prétend par ailleurs vouloir neutraliser : traiter la finance par les moyens de la finance, surtout à dose homéopathique, n'assure pas le succès ! Et l'intervention un temps envisagée de la Chine et de l'Inde, mais mise à mal par les difficultés de la Grèce et l'Italie à mettre en œuvre les décisions du 27 octobre, puis l'échec du G20, n'était pas un signe de sérénité. La Chine jouait sa partition dans la guerre des monnaies dollar-renmimbi, mais la zone euro a très vite perdu le peu de crédibilité qu'il lui restait. Sans compter l'intervention du FMI, notamment dans la surveillance de l'Italie. S'il manquait encore une preuve d'impuissance…

L'échec du 27 octobre est déjà tellement patent que fleurissent les appels au fédéralisme, dont on sait, cela a déjà été expliqué, que ce ne sont que fariboles : il ne peut s'agir ici que de fédéralisme fiscal, celui que réclament les marchés, c'est-à-dire la mutualisation des dettes souveraines, et l'on en a montré les difficultés, voire l'impossibilité. Relancer maintenant l'idée des « eurobonds », quasi-unanimement condamnée cet été, c'est simplement chercher à détourner ledit regard de l'échec des plans précédents en faisant porter le regard sur des perspectives plus que fumeuses. Les fonctionnalistes espèrent toujours que la lumière finira par jaillir des ténèbres, mais, de même, la « gouvernance économique de l'Europe » apparaît de plus en plus n'être qu'une notion totalement vide. Répétons-le : pour y parvenir, il faudrait d'abord mettre en place un gouvernement politique, ce qui ne se fera pas par petites avancées continues, mais par un saut qualitatif important à l'occasion d'une rupture forte. Que l'Allemagne appelle à rediscuter les Traités, très bien, mais il faut avoir conscience de l'importance du chantier, sauf à penser qu'il ne s'agit, par crainte de la contagion à l'ensemble de la zone, que de préparer les esprits à des mesures radicales, telles l'exclusion de la Grèce, si elle ne décide pas elle-même de partir. Autrement dit, en l'absence de moyens de stopper la contagion, il s'agit de se couper le(s) membre(s) atteint(s).

Mais c'est se tromper de diagnostic : la crise grecque apparaît plus que jamais comme la manifestation de la crise de l'euro, et plus largement de la financiarisation. Soit, les dirigeants sont conscients du vrai problème, ce qui est probable, mais n'ayant pas de solution, ils le nient et cherchent des échappatoires : tergiverser pour gagner du temps, que faire d'autre ? Soit, ils croiraient, comme nombre d'économistes, et pas seulement des libéraux, qu'il n'y a pas de crise de l'euro, mais simplement une crise de confiance politique. C'est un point de vue qui gagne jusqu'aux milieux « alter » keynésiens : les marchés sont fondamentalement irrationnels et l'impéritie des gouvernants libéraux incapables de les encadrer conduit à une crise de confiance desdits marchés, qui ne perçoivent pas de volonté politique de prendre le taureau par les cornes. Il s'agit là de nier la réalité de la crise économique et laisse la place pour une stratégie d'alternance politique, dans l'acceptation d'une mondialisation qu'une autre gouvernance permettrait de domestiquer.

Ainsi, la crise a déjà fait exfiltrer nombre de chefs de gouvernement, notamment grec et italien, remplacés par des hommes du sérail, et cela ne semble pas avoir apporté ce que d'aucuns attendaient. L'opération Monti, « choisi [par qui ?] pour ses compétences économiques », rappelle le précédent Barre, « meilleur économiste de France », qui devait rétablir la confiance et qui a laissé en héritage, en 1981, une inflation à deux chiffres ! Les eurocrates espèrent que le choix de Mario Monti, qui a été pendant dix ans un très dogmatique commissaire européen à la concurrence, puis, depuis 2005, conseiller de Goldman Sachs, rassurera les marchés. (Rappelons que l'autre « Super Mario », Draghi, aujourd'hui à la tête de la BCE, fut, il y a peu, le dirigeant Europe de la même Goldman Sachs.)

L'effet Monti n'est pas assuré, car les marchés ne sont pas irrationnels, ils font des paris, ce qui n'est pas la même chose. Dans l'esprit de ceux qui utilisent le mot, irrationnel renvoie à déni des fondamentaux, c'est-à-dire de la valeur intrinsèque d'une action ou d'une obligation, déterminée par les lois de la science économique. Mais les fondamentaux n'existent pas, le principe du capital en général, et du capital financier en particulier, est qu'une marchandise quelconque (force de travail, équipement, matière première, titre financier, etc.) vaut le profit qu'elle permet de faire. Il n'est donc pas irrationnel de jouer son capital comme une mise au casino. C'est le refus de la politique qui remet le sort des peuples entre les mains de la spéculation.

Cela ne signifie pas qu'il n'y a pas de lois économiques, et celle qui prédit que l'austérité qui s'annonce va induire du chômage de masse, *via* la spirale : baisse du pouvoir d'achat-baisse de l'activité-baisse des rentrées fiscales-besoin d'austérité, va vite se rappeler aux gouvernants. Ceux-ci, d'ailleurs, en sont bien conscients, mais n'ayant pas les solutions au dilemme croissance-austérité en économie financiarisée, ils naviguent à vue entre sauvetage de la notation et consolidation de la légitimité politique.

Pour légitimer les « courageux » plans dits de rigueur, le dernier discours en vogue chez les libéraux, y compris sociaux, qui font mine de l'avoir toujours tenu, est qu'une monnaie unique ne peut pas fonctionner avec des économies différentes, et qu'il faut impérativement les faire converger, d'où le nécessaire courage pour faire face à la dure réalité, etc. Que ne les a-t-on entendus plus tôt, quand ils nous serinaient qu'un gain principal de l'échange, favorisé par l'euro, était justement la convergence ! Car il s'agit en réalité, maintenant, de proposer une harmonisation des modèles sociaux par le bas, l'Europe sociale n'étant plus de mise vu les circonstances. Comment l'austérité visant une telle harmonisation pourrait-elle être juste ?

Ainsi, les derniers développements de la crise mettent en pleine lumière la dépolitisation consubstantielle de la gestion néo-libérale de l'économie et de la société, mais aussi les oppositions d'intérêt entre les bureaucraties nationales et européenne, ainsi qu'entre bureaucraties et classes politiques. Ainsi, quand l'eurozone prend la direction des affaires, la bureaucratie européenne, écartée du jeu et d'abord silencieuse, finit par se manifester, après que les dirigeants des pays hors zone aient manifesté leur mécontentement d'être tenus à l'écart, pour donner un vernis institutionnel à des décisions prises hors de toute légitimité. Quand les dirigeants de la zone choisissent hors élections les successeurs des dirigeants décrédibilisés auprès des marchés, où est la démocratie ? Papademos se traduirait-il par « père du peuple » ?

Tenus hors du processus de décision, les peuples vont durement payer la crise, tous, car la crise de l'euro apparaît clairement comme épiphénomène, le cœur du problème étant la crise économique mondiale, celle du capitalisme, qui a cru que la mondialisation financière allait le tirer de l'ornière. Les politiques néo-libérales l'ont mis sous perfusion d'argent fictif, mais ce n'était que soin palliatif. L'acharnement de l'oligarchie retarde encore l'échéance, pour un temps qui sera ce qu'en décideront les peuples, mais ce ne peut être qu'en généralisant l'austérité, ce qui va mettre en récession l'ensemble des économies. Les statistiques de la pauvreté sont de plus en plus alarmantes, partout dans le monde, et l'Europe réduit ses programmes d'assistance ! La financiarisation semble approcher du bout du chemin, et de plus en plus nombreux sont ceux qui prônent la démondialisation. Le problème est que la voie nationaliste du protectionnisme et d'un simple retour à avant la loi de 1973 (qui avait interdit en France le financement monétaire de la dette) n'est pas viable, comme cela a été montré précédemment. Le danger est que s'en tenir à cela permet à l'extrême droite de s'en emparer, comme elle le fit dans l'entre-deux-guerres, quand les dirigeants s'arc-boutèrent sur les politiques déflationnistes. La rupture républicaine vers des États-Unis d'Europe maîtres de leur monnaie et de leur destin est plus que jamais à l'ordre du jour.

Bibliographie

Michel Zerbato :

[1] « L'instabilité financière, expression de la crise du capitalisme financiarisé », dans : I. JOSHUA, M. HUSSON, É. TOUSSAINT, M. ZERBATO, *Crises structurelles et financières au 20ème siècle*, Syllepse, 2001.

[2] « Une finance insoutenable », dans : DUMÉNIL, G., LÉVY, D., (dir.), *Le triangle infernal. Crise, mondialisation, financiarisation*, PUF (Actuel Marx, confrontation), 1999.

[3] « La mondialisation démocratique, une utopie pour le capital ? », *Économie et démocratie*, vol. II : *La démocratie et le marché*, L'Harmattan et Innoval (coll. Économie et Innovation, série Krisis), 2004.

[4] « Intérêt, profit et bouclage monétaire du circuit », *Économie et Sociétés*, 1990, n° 2 (MP 6), pp. 97-106.

[5] « Bouclage monétaire du circuit et austérité », *Économie appliquée*, 1989, n° 1, pp. 91-113.

[6] « Une économie mondiale d'endettement appelle-t-elle un nouveau SMI ? », *Économie et Sociétés*, 1988, n° 6-7 (HS 30), pp. 181-197.

[7] (Sous la direction de), *Keynésianisme et sortie de crise*, Dunod, 1987 : « Introduction générale », chap. 3, « la monnaie dirigée » et chap. 8, « un espace keynésien régional ».

• Trois grands auteurs couvrent la totalité de l'économie politique :
- Adam Smith, *La richesse des nations*, 1776.
- Karl Marx : du *Manifeste* au *Capital*…
- John Maynard Keynes : principalement la *Théorie générale*, 1936.
- Léon Walras, « L'État et les chemins de fer », *Le Nouvelliste Vaudois*, 1875. Disponible à l'adresse :
http://classiques.uqac.ca/classiques/walras_leon/Etat_et_Chemin_de_Fer.html
Où Walras, père de l'équilibre général néoclassique, répond par avance à nombres d'arguments anti-étatistes quant à la production de biens et services collectifs.

• Pour un exposé accessible de l'analyse économique marxiste : Gérard Duménil, Dominique Lévy, *Économie marxiste du capitalisme*, La Découverte, (Repères), 2003.

• Sur le lien économie de marché – nation :
- Ernest Gellner, *Nations et nationalisme*, Seuil, 1989 (1983 pour l'édition anglaise)
- Henri Guillemin, *Nationalistes et nationaux* (1870-1940), Paris, Gallimard, « Idées », 1974.
- Éric Hobsbawm *Nations et nationalisme depuis 1780 : programme, mythe, réalité*,
  Gallimard, 1992.
- Jean Jaurès, *L'armée nouvelle*, Édition populaire, L'Humanité, 1915. Voir le chap. X, III.

• Les sites internet sont une mine d'information, si on sait la chercher, car le pire y côtoie le meilleur. Il faut savoir séparer le bon grain de l'ivraie et isoler les faits, sachant cependant que le fait brut n'existe pas, ce qui fait toute la difficulté et la grandeur de la vraie science sociale.

Sont notamment utiles, concernant :

- les données chiffrées : insee.fr, imf.org/external/french/index.htm, ocde.org, epp.eurostat.ec.europa.eu/portal/page/portal/eurostat/home/, etc.
- l'Europe : euobserver.com
- la finance : la-chronique-agora.com, un point de vue ultra-libéral, mais fourmillant d'informations sur le point de vue des marchés.
- les inégalités : inegalites.fr
- la théorie de la crise économique : hussonet.free.fr, le site de Michel Husson, utile pour les débats sur les chiffres.

Glossaire

A-M-A' : cycle d'échanges argent-marchandise-plus d'argent
BC : banque centrale
BCE : banque centrale européenne

BM : banque mondiale

BRI : banque des règlements internationaux

BTTP : loi de la baisse tendancielle du taux de profit

CEE : communauté économique européenne

CNR : conseil national de la résistnce

CPE : contrat de première embauche

DAV : dépôt à vue (compte-chèques ou compte courant)

DRH : directeur des ressources humaines

Ecofin : conseil « affaires économiques et financières » (conseil européen)

ECU : european community unit

ESM : économie sociale de marché

FCP : fonds commun de placement (opcvm)

FED : federal reserve bank (banque centale des ´États-Unis)

GATT : general agreement on tarifs ans trade (agetec)

GES : gold exchange standard (étalon de change or)

FESF : fonds européen de stabilisation financière

FME : fonds monétaire européen (disparu des radars)

FMI : Fonds monétaire international

IDR : investisseur en dernier ressort

IFI : institutions financières internationales (FMI, BM, BRI, etc.)

INSEE : institut national de la statistique et des études économiques

OCDE : organisation pour la coopération économique et le développement

OMC : organisation mondiale du commerce

OPCVM : organisme de placement collectif en valeurs mobilières

PAS : plan d'ajustement structurel

PDR : prêteur en dernier ressort

RGPP : révision générale des politiques publiques

QE3 : quantitative easing (accomodation monétaire) 3ème du nom

SEBC : systéme européen de banques centrales

SICAV : société d'investissement à capital variable (opcvm)

SME : serpent monétaire européen

SMI : système monétaire internatonal

Subprime : subprime mortgage loan (prêt hypothécaire risqué)

UE : union européenne